CONSTRUISEZ VOUS-MÊME VOTRE SUCCÈS

*grâce à la foi, la volonté,
l'amour et l'optimisme*

Données de catalogage avant publication (Canada)

Acton, Jean, 1927-

Construisez vous-même votre succès grâce à la foi, la volonté, l'amour, l'optimisme

ISBN 2-89089-684-6

1. Succès. 2. Réalisation de soi. 3. Idéal du moi. 4. Perfection. I. Titre.

BF637.S8A37 1995   158   C95-940092-3

LES ÉDITIONS QUEBECOR
7, chemin Bates
Bureau 100
Outremont (Québec)
H2V 1A6
Tél. : (514) 270-1746

© 1995, Les Éditions Quebecor
Dépôt légal, 1er trimestre 1995

Bibliothèque nationale du Québec
Bibliothèque nationale du Canada
ISBN : 2-89089-684-6

Éditeur : Jacques Simard
Coordonnatrice à la production : Dianne Rioux
Conception de la page couverture : Bernard Langlois
Correction d'épreuves : Yves Roy
Infographie : Composition Monika, Québec
Impression : Imprimerie L'Éclaireur

CONSTRUISEZ VOUS-MÊME VOTRE SUCCÈS

grâce à la foi, la volonté, l'amour et l'optimisme

Jean Acton

Les Éditions Quebecor

Table des matières

Introduction

Votre développement :
le but premier
de votre vie

Dans une vie, nous savons tous que nous devons faire des efforts pour nous améliorer. Plusieurs de nos qualités transcendent — pour notre agrément et celui des autres —, mais nos lacunes ou nos défauts ont parfois tendance à diluer nos qualités.

C'est au prix d'une longue patience, par un entraînement soutenu, que nous parvenons à bonifier nos dons naturels endormis au fond de nous pour les mettre au service du but que nous poursuivons.

Certains individus possèdent naturellement ce que d'autres doivent acquérir par l'entraînement : la volonté, la persévérance, la détermination, la maîtrise de soi, etc.

Ils font l'admiration de leur entourage !

Comment faites-vous ? leur demande-t-on.

Ils pourraient répondre à cette question en disant : «Chacun est le propre artisan de sa santé, de son bonheur et de son succès.»

Un boxeur qui monte dans l'arène pour défendre son titre s'est longuement entraîné. Il n'a pas le choix.

Sa victoire sera la conséquence d'un rigoureux entraînement, de son ardent désir de battre l'adversaire et de prouver hors de tout doute ses qualités de champion.

Comme les athlètes, chacun doit s'imposer une dure discipline pour parvenir à ses fins.

Vous avez déjà une bonne idée de vos points forts et de vos points faibles. Vous manquez de ponctualité, vous êtes brouillon, peu déterminé, vous remettez toujours à plus tard ce que vous devez faire maintenant, voilà des points que vous pouvez facilement identifiés.

Que faire?

Nous avons demandé à Marcel Bourbonnais, ex-député et homme d'affaires, surnommé le «peintre de Montréal», ce qui le pousse à rester actif et productif à soixante-dix-sept ans. Marcel anime toujours des ateliers à son école de peinture, n'hésite pas à parcourir chaque jour la distance qui sépare Rigaud de Montréal, et conserve une attitude forte et positive.

«C'est très simple, explique-t-il. Si vous avez des dons, ne les laissez pas dormir. La gymnastique de l'esprit est tout aussi importante que celle du corps. L'inactivité, l'indécision, une trop grande indulgence envers soi rouillent vite son homme. Vous avez une idée, transformez-la en but. Ce que vous entreprenez, faites-le pour vous. Oubliez la gloriole, la galerie, l'épate. Même des dons naturels inexploités s'atténuent en cours de route. Commencez par des choses relativement faciles. Adoptez un mode de progression. Plusieurs de mes élèves en peinture savaient qu'ils avaient un don, mais refusaient de l'exploiter. Mieux vaut tard que jamais. Aujourd'hui, quand je vois leurs œuvres, leur marche ascendante vers la maîtrise de leur art, je leur demande : « Il y a deux ans, pensiez-vous pouvoir réaliser d'aussi belles choses ? » « Il y a deux ans, nous n'avions pas confiance en nous, répondent-ils. Aujourd'hui, c'est différent. Le résultat nous encourage à aller plus loin et à persévérer. »

Si vous trouvez des similitudes avec les élèves talentueux du peintre Marcel Bourbonnais, c'est que vous avez probablement besoin de « réveiller » un atout majeur dans votre comportement : le manque de confiance.

Combinez l'action et l'autosuggestion

Ne dit-on pas que la foi transporte les montagnes ? Les obstacles qui vous barrent momentanément la route disparaîtront graduellement si vous décidez de vous faire confiance.

Car, qui vous fera confiance si vous n'avez pas confiance en vous ?

La confiance fera ressortir vos **points forts**. Privé de cet atout majeur, vous rejetterez automatiquement toute idée car vous vous direz : « Je ne suis pas capable de faire ça ! »

Erreur !

Croyez-vous que César aurait pu conquérir la Gaule s'il n'avait eu confiance en lui ?

Trouvez-vous des modèles dans votre entourage, votre communauté. Elles sont nombreuses les personnes qui, fortes d'une foi inébranlable en elles-mêmes, ont édifié des œuvres monumentales dignes d'admiration.

Il y a dans la vie une loi inéluctable. Celui qui veut, peut.

La loi de l'évolution vaut pour tous. Comme chez les animaux, des forces naturelles dorment en nous. Un cheval ne peut faire de la course du jour au lendemain même si c'est un pur-sang.

Ses entraîneurs le préparent, améliorent ses faiblesses, consolident ses points forts pour l'épreuve ultime.

Tirez le meilleur parti de vos dons et de vos capacités potentielles. Travaillez avec ardeur et conviction.

À mesure que vos facultés supérieures seront utilisées à bon escient, vous aurez vraiment l'impression que rien n'est impossible.

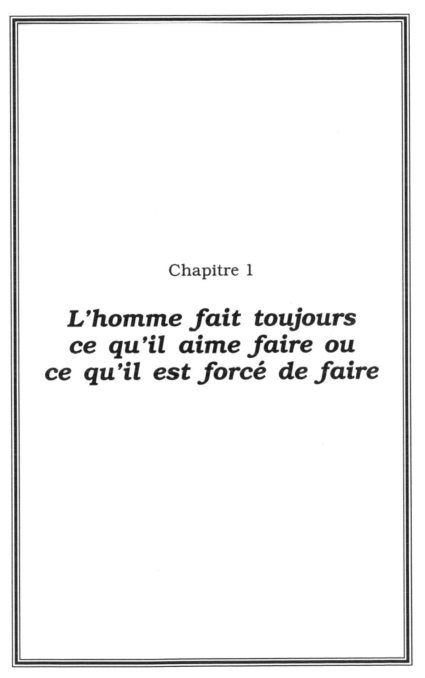

Chapitre 1

L'homme fait toujours ce qu'il aime faire ou ce qu'il est forcé de faire

Vous connaissez sans aucun doute l'histoire.

Deux grandes firmes, l'une française, l'autre américaine, spécialisées dans la fabrication et la vente de chaussures, confient une mission à leur représentant respectif: se rendre dans un pays que nous nommerons **Utopie** pour organiser un système de vente et de distribution.

MM. Dupont et Greenwood arrivent sur les lieux, s'installent à l'hôtel et, chacun de leur côté, font un inventaire du marché.

Au cinquième jour de son arrivée en Utopie, M. Dupont passe un coup de fil à son directeur et lui dit, amer et découragé:

— Il n'y a rien à faire ici. Tout le monde marche pieds nus. Je dois revenir dans les plus brefs délais.

Au même moment, M. Greenwood parlait à son directeur. Il jubilait.

— C'est le paradis ! Une mine d'or en perspective. Imaginez notre chance ! Tout le monde marche pieds nus. Envoyez-moi sans tarder un plein bateau de chaussures. Je suis certain de tout vendre.

Cette historiette, sans fondement réel, démontre simplement que deux individus placés dans un même contexte ne voient pas les mêmes choses du même œil.

M. Dupont n'a vu que le côté négatif et désespérant des choses, alors que son concurrent, plus avisé, plus astucieux et plus opportuniste, s'est montré positif et réaliste dans sa conclusion.

Lorsque vous dresserez l'inventaire de vos **points forts**, ne rejetez pas ce qui vous semble d'emblée inabordable.

« Je n'ai jamais été persévérant, je commence quelque chose que je ne termine jamais », direz-vous.

« Comment voulez-vous que je le devienne ? J'ai un mauvais pli. Il est trop tard. Je ne peux rien changer ! »

Vous vous comportez un peu comme Ubald qui répète à qui veut l'entendre « qu'il n'a jamais rien gagné à la loterie ». Si vous le questionnez pour en savoir plus long sur son comportement, il vous dira probablement :

« Moi, je n'achète jamais de billets de loterie. »

Vous n'êtes pas persévérant à cause d'un certain nombre de facteurs :

— Vous n'êtes pas mauvais pour le sprint, mais vous répétez — sans l'avoir essayé — que vous ne valez rien dans une course de longue distance.

Un beau cas de positivisme

Marcel Dutil, président du Groupe Canam Manac, est un industriel positif.

« De 1961 à 1972, nous a-t-il raconté, alors que nous avions en chantier un ouvrage intitulé *Guerriers de l'émergence*, notre marché américain se limitait à la Nouvelle-Angleterre. Grâce à nos poutrelles d'acier brevetées Hambro, nous avons percé tout le marché américain, mais cela restait quand même marginal. Pour devenir le numéro un de la poutrelle d'acier, je devais m'emparer du château fort du numéro un. Ce que j'ai fait. Un jour, je lui passe un coup de fil. *"I want to buy your company"*. À cette époque, j'étais le numéro trois.

« Marcel, *go back to your barn !* » me dit-il, croyant à une plaisanterie de ma part. Sans perdre de temps, suivant un plan précis pour devenir le numéro un, j'ai construit dans le plus grand secret une usine ultramoderne. Une semaine avant l'ouverture officielle, j'ai téléphoné au numéro un pour l'inviter à dîner et à visiter notre nouvelle usine. Cette visite fut concluante. En voyant toutes les machines modernes et efficaces, le numéro un a compris que je lui étais supérieur sur toute la ligne.

À la fin de l'après-midi, après cette longue visite, j'étais devenu le numéro un. »

Cet exemple ne se veut pas un effort de glorification, mais il démontre bien qu'il faut avoir de la suite dans les idées, tenir bon, utiliser les circonstances à notre avantage. Le pire qui puisse arriver, ce n'est pas de perdre quelques batailles, mais de perdre la guerre.

Opportunisme de bon aloi

L'intensité du désir décuple les qualités motrices. Marcel Dutil est un bel exemple d'opportunisme de bon aloi, mais il faut se rappeler que Pierre Péladeau, fondateur de Quebecor, ne donne sa place à personne.

Profitant d'une grève au quotidien *La Presse*, il sut tout mettre en place pour fonder sa propre publication, le *Journal de Montréal*, devenu le numéro un des quotidiens français en Amérique.

Pierre Péladeau caressait depuis longtemps le désir d'avoir un quotidien, étape importante dans l'évolution de son entreprise. Il guettait l'occasion propice. Elle se présenta à la faveur d'un conflit de travail à *La Presse*, une chance inespérée et unique.

Servi magistralement par les événements, Pierre Péladeau passa à l'action. Son désir était si grand, sa combativité si impérieuse et stimulante, qu'il réalisa son vieux rêve.

Plus le désir est fougueux et ardent, plus son aboutissement s'incarne dans la réalisation.

Plus vos désirs sont faibles — le désir précédant l'acte de volonté —, plus l'action est floue et indécise. Plus le désir est violent, plus il fait basculer les obstacles.

Ce n'est pas tout de désirer un fruit qui se trouve devant vous sur une table. Tant que vous ne l'avez pas saisi pour le manger, vous en restez à l'intention.

L'esprit d'une personne négative est envahi par le doute, les interrogations, la peur de se tromper, les contradictions et les ambiguïtés.

La personne positive possède, elle, une foi inconditionnelle dans ses moyens et ses forces pour accomplir un désir.

Ne dites pas : « Je pourrais le faire », mais plutôt « Je suis en train de le faire. »

Fiez-vous à vos ressources profondes. Réveillez-les !

Se croire important et le dire sans forfanterie, c'est déjà l'être.

Qui êtes-vous ?

Il arrive bien souvent que, tout au long de leur vie, les individus ne savent pas vraiment qui ils sont.

Leur connaissance d'eux-mêmes reste superficielle. Ils n'ont qu'une faible perception de leur moi et ne font aucun effort pour approfondir la question : Qui suis-je ?

Votre personnalité comprend trois éléments :

— *l'unicité* (l'individualité) ;

— *l'intériorité* (la conscience) ;

— *l'autonomie* (la liberté).

Votre personnalité — avec tout ce qu'elle comporte de traits caractéristiques — n'est pas une chose innée, c'est-à-dire qui est présente dès la naissance.

On ne dit pas d'un bambin qu'il a de la personnalité. Elle se développe, s'affine, se bonifie au fil des ans, conditionnée par les traits spécifiques de son caractère. Pour Gœthe, le caractère est lié au destin d'un individu, alors que le philosophe Alain, sur le plan psychologique, parle d'un segment de plusieurs aptitudes.

Si vous briguez un poste important dans une grande entreprise, on tiendra compte de votre caractère ou de l'ensemble des traits spécifiques qui forment votre personnalité psychologique ou morale.

Des tests (Dembo) peuvent mettre en évidence vos points forts ou vos points faibles.

En naissant, vous avez reçu un héritage... ce que l'on appelle l'hérédité. Bon ou mauvais, qu'importe. Tout individu possède le pouvoir d'évoluer, de corriger ses lacunes, de développer ses forces latentes et d'acquérir ainsi une belle personnalité.

On pourrait multiplier à l'infini les exemples d'individus peu avantagés à leur naissance et qui, par la seule force de leur caractère, ont modifié leurs points faibles en points forts. Bègue, Démosthène triompha de ce trouble de la parole pour devenir un redoutable tribun.

Donc, l'essentiel est d'apprendre à se connaître, de voyager dans son propre univers, de s'analyser, de tirer des conclusions pratiques et de s'entraîner tel l'acrobate répétant des milliers de fois un exercice périlleux.

Émotifs et apathiques

Voilà deux types d'individus qui sont aux antipodes.

Les émotifs sont impulsifs, passionnés, souvent irrationnels. Ils sont menés par les **sentiments**. Les émotions peuvent être créatrices si elles sont contrôlées, régularisées, dominées par votre volonté. Elles peuvent être une **force au service d'un but**. De grands musiciens, des peintres célèbres, des écrivains et des chercheurs de renom se sont démarqués du reste de l'humanité grâce à leurs dévorantes passions créatrices.

Ne flattez pas vos passions en vous livrant à toutes sortes d'excès; domptez-les comme on dompte son chien.

25

Si la passion vous habite, vous détenez un **plus**.

Un important propriétaire immobilier, un jour qu'il voulait se confier, avouait à quelques amis réunis pour un anniversaire qu'il avait manqué sa vie.

— C'est impossible ! N'es-tu pas millionnaire plusieurs fois ? demandèrent les amis.

— Jamais, de toute ma vie, je n'ai eu une seule passion. Même en amour, dit-il. L'argent n'a pas réussi à combler le vide qui est en moi. J'envie ces gens passionnés qui foncent tête première vers un but, une flamme dans les yeux.

La passion vous habite-t-elle ?

Voilà un carburant énergétique de première importance pour aller loin, mais à une seule condition : acquérir la maîtrise de soi.

Nous avons voulu ici mettre en parallèle deux courants opposés. La passion créatrice, torrent impétueux qui permet la réalisation des rêves les plus fous, et l'indifférence, là où logent les **apathiques**, une catégorie d'individus dont les sentiments sont endormis.

Pourquoi est-on apathique ?

Sur le plan médical, cela pourrait s'expliquer par une mauvaise alimentation glandulaire. La thyroïde, les surrénales, l'hypophyse sont déficientes.

Contrairement au passionné, l'apathique réagit avec une extrême lenteur. Toutes ses facultés somnolent. Chez l'apathique, les désirs sont tellement faibles qu'ils ne provoquent pas d'action. On pourrait les comparer à une eau dormante.

Ils disposent de facultés « soporifiques ». Rien ne semble les émouvoir. À les voir agir, on a l'impression qu'ils se laissent béatement porter au gré des événements. Absence d'action, faibles désirs, faible volonté composent leur tempérament.

Si nous proposons ces deux types qui sont aux antipodes — le torrent et l'eau dormante —, c'est qu'il y a dans les deux cas des moyens d'action pour jaillir des faiblesses des forces.

Les apathiques auraient intérêt à développer leur capacité respiratoire, à corriger leurs déficiences glandulaires par l'endocrinothérapie ou à recourir, le cas échéant, à la psychanalyse.

Tout individu peut retrouver ses points forts s'il se donne un peu de peine.

On voit des handicapés pratiquer des sports avec excellence et faire preuve, dans beaucoup de cas, de virtuosité. Tout est dans l'effort.

Apprendre à se connaître, c'est pénétrer sur la pointe des pieds dans son propre labyrinthe. Il n'y a pas d'interdit ni de limite à son introspection.

Dans la nomenclature qui suit de nos points faibles à corriger et des points forts à réveiller, la première grande conquête consiste à retrouver son moi.

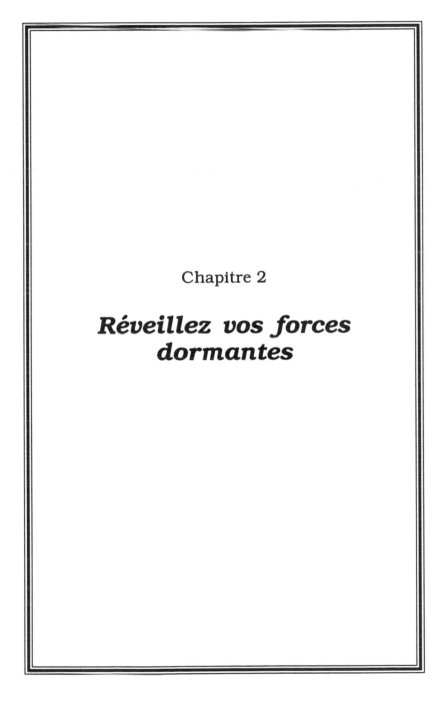

Chapitre 2

Réveillez vos forces dormantes

Les **points forts** peuvent varier d'un individu à un autre. Toutefois, ils partent de la même source que nous nommerons le **potentiel naturel**. Pour faciliter la tâche de ceux et celles qui veulent miser sur leurs forces dormantes, les réveiller et les orienter vers une action concrète, nous proposons un tour d'horizon qui englobe des points de repère susceptibles de provoquer une réflexion enrichissante et, en même temps, révélatrice.

La foi : le grand stimulant

Nous ne parlons pas ici de foi religieuse. Henri Bourassa disait qu'un véritable homme social, celui qui s'affirme et se réalise, « était celui dont la foi commandait tous les actes, les fonctions professionnelles et publiques autant que les actions individuelles ».

Avoir foi en soi, en sa destinée, en ses moyens, part d'un bon naturel. La foi, c'est ressentir de la ferveur pour quelque chose, y consacrer toutes ses énergies et sa vitalité pour atteindre un but.

La foi galvanise, illumine le sentier que vous empruntez. Elle élimine le doute, l'inquiétude, les incertitudes par rapport à soi. Elle renforce la confiance.

De grands artistes, des écrivains de renom, des hommes d'État, des chefs de guerre ont tous attribué leur succès à une attitude morale et intellectuelle dictée par la foi qui rapproche de la perfection.

Avoir des idées nettes

Vous avez l'idée d'un projet. Quel sera son cheminement? Vous devez avoir une vision nette du but à atteindre. Ne mélangez pas les choux et les raves. Ne soyez pas confus dans l'élaboration ou la présentation de ce projet. Si vous voulez que les autres saisissent rapidement l'idée que vous soumettez, rendez-la limpide et rationnelle. Ne la diluez pas dans toutes sortes de considérations qui affaiblissent votre position. Développez toujours une approche positive et cartésienne.

Accrochez-vous à l'idée maîtresse

Concentrez-vous sur les objectifs. La meilleure façon de parvenir au but, c'est de le **visualiser** sans arrêt, en misant sur les points forts suivants:

a)   l'attention;

b)   la continuité;

c)   la maîtrise de vous-même.

Optez pour un système simple qui vous permettra de développer votre concentration. Chaque jour, améliorez votre record précédent. Apprenez à vous retrancher du bruit, du mouvement, ce que beaucoup réussissent par un entraînement continu. Alors que certains n'arrivent pas à se concentrer dans le brouhaha, d'autres y parviennent facilement.

La volonté : une arme de choc

Même si vous avez la meilleure idée et les plus beaux objectifs au monde, vous n'arriverez nulle part si la volonté est absente de vos désirs. Toute activité humaine menée à bon terme est le résultat d'un acte de volonté. Plus le but se fait englobant, insistant, omniprésent, grâce à l'autosuggestion, plus l'idée motrice s'inscrit dans vos priorités.

«Je me suis fixé un but, je dois l'atteindre, je ne lâcherai pas. Advienne que pourra!»

Votre subconscient communique des directives à votre esprit conscient.

L'application : la force de pénétration

Vous vous étonnez parfois de l'incroyable adresse de certains artistes de cirque. Comment peuvent-ils réussir de pareils tours? vous demandez-vous. La réponse est simple : l'application.

De l'homme qui se donne tout entier à son métier, Diderot disait : «S'il a du génie, il devient un prodige ; s'il n'en a point, son application l'élèvera au-dessus de la médiocrité. »

L'application n'est pas autre chose que la capacité psychique de réussir à faire mieux chaque jour une tâche précise. Plus vous vous appliquerez à relever votre défi, plus vous ferez des progrès constants. L'application est un amalgame de points forts : **attention**, **fermeté**, **persévérance**, **discipline**, etc.

Autour de nous, nous avons souvent des collègues remarquables qui s'appliquent à bien remplir leur tâche.

L'amour : un allié de première force

Plus de quatre-vingt-dix pour cent des travailleurs n'aiment pas ce qu'ils font. Ils l'admettent aisément, et différents sondages et enquêtes dans les grandes entreprises font ressortir ce fait chez leurs employés.

Aimez ce que vous faites ! Le succès inconsistant veut qu'on l'aime. L'amour galvanise. Si vous utilisez cette force pour atteindre votre but, il y a fort à parier que vous franchirez les étapes plus harmonieusement.

L'amour d'une chose dispose l'esprit à la bienveillance, à la créativité, à créer autour de vous des courants de sympathie.

Ordre et méthode

Il y a des gens si peu organisés qu'on les classe dans la catégorie des brouillons. Dans les situations de surchauffe, ils perdent littéralement leurs moyens.

Ils se demandent toujours par quel bout commencer. Ils n'ont pas de méthode ni de programme et s'enlisent un peu plus tous les jours dans un «beau désordre». Le temps perdu à chercher un dossier, un document important, sape l'énergie et le temps.

«À chaque affaire son moment et à chaque chose sa place», a écrit Franklin.

Avoir de l'ordre comporte trois avantages :

a)   il soulage la mémoire ;

b)   il économise le temps ;

c)   il conserve les choses au bon endroit.

Rien ne contribue plus au succès que la planification et l'ordre.

Optimisme et espérance

Un but ne serait jamais poursuivi si on n'avait pas l'espoir de l'atteindre. Un philosophe explique ainsi l'une des règles du succès :

«Avoir quelque chose à faire de défini, avoir quelque chose à aimer avec passion, avoir quelque chose à espérer. »

Votre optimisme influencera les gens à qui vous voulez vendre une idée et la faire partager. Il s'agit d'un point fort crucial. Chaque nouveau succès augmentera votre enthousiasme qui sera soutenu par l'espérance d'aller toujours plus loin.

Un vendeur enthousiaste a dix fois plus de chances de convaincre son interlocuteur qu'un vendeur conventionnel qui accomplit une tâche routinière.

Sur une tribune, l'orateur enthousiaste gagne très vite l'auditoire à sa cause.

Si vous êtes décidé à réussir, gardez très haut la flamme de l'enthousiasme et de l'espérance.

Les points forts énumérés précédemment sont-ils **actifs** ou à **l'état latent** chez vous?

Vous pouvez les développer progressivement grâce à l'autosuggestion.

Derrière tout succès, il y a une préparation et un long entraînement.

Réaliser son moi idéal, une priorité

«On est comme on naît», dit un dicton populaire.

Comme tout le monde, vous êtes le résultat de votre hérédité, de votre éducation et de votre milieu.

À la naissance et, plus tard, à l'adolescence, vos points forts se démarquent. Pour telle ou telle matière, vous êtes doué. Intuitivement, vous le savez. C'est ce que l'on appelle les **prédispositions naturelles**.

Si vous voulez acquérir une grande valeur sur le plan professionnel, devenir un «as» dans un quelconque domaine, évoluer vers la perfection, conquérir le succès, **n'allez pas à l'encontre des tendances**, ces forces qui vous font dire souvent : «Je suis très fort dans ce domaine, nul dans l'autre.»

À la croisée des chemins, beaucoup de jeunes candidats au succès se trouvent confrontés à un problème épineux.

«Si j'avais continué en peinture, mes dons naturels m'y inclinant, je serais certainement devenu l'un des meilleurs peintres de ma génération, raconte un homme d'affaires prospère. Mon père avait un commerce et je devais faire un choix : me perfectionner dans mon art, aller au bout de mon talent, ou prendre la relève de mon père. Je me suis laissé convaincre par ce dernier que mon parcours était tracé d'avance. Si j'avais été plus expérimenté, plus conscient du don que je portais en moi, j'aurais fait le seul choix plausible et nécessaire à mon épanouissement : l'art, sous toutes ses formes. Aujourd'hui, j'administre et dirige le grand magasin que m'a légué mon père. Mon niveau de satisfaction n'est pas très élevé, même si j'ai réussi, car j'ai trahi mes aspirations profondes.»

Opter pour la facilité, saisir une occasion n'est pas toujours un bon choix si vous remisez un talent défini, identifié, qui vous donne d'intenses satisfactions.

Le témoignage précédent démontre bien que réaliser son moi idéal est plus important que tout le reste.

S'engager dans une direction sans tenir compte de ses tendances naturelles peut compromettre votre harmonie.

L'homme sera toujours ce que sont ses inclinations. Le don se manifeste très tôt. Au collège, les enseignants l'ont décelé et le disent ouvertement : « Louis est très fort en mathématiques. Sa facilité est déconcertante. Il ira loin s'il s'en donne la peine. »

Il faut donc utiliser à son profit toute tendance naturelle qui vous indique une force latente. La tendance, c'est la spontanéité, l'expression de la vie qui se manifeste dans un organisme à l'état pur.

Si vous portez ce don en vous, qu'il sommeille en attendant que vous le libériez, qu'il pourrait, s'il est bien exploité, vous conduire au succès, vous auriez tort de le laisser dormir.

On tend parfois à s'orienter vers des choix qui ne correspondent pas à nos tendances. Beaucoup d'individus résument ainsi leur déception : « Si j'avais su ! » Ou encore : « Si c'était à recommencer ! »

Dans le choix d'une option, ne négligez pas les signes palpables du don qui vous habite.

Les tendances indiquent un talent particulier qui ne demande qu'à prendre son envol pour que vous atteigniez le succès.

Misez sur de vraies valeurs

On pourrait définir deux sortes d'attentes chez tous les individus :

— les attentes intérieures ;

— les attentes extérieures.

Si vous vivez uniquement en fonction des attentes extérieures — signes de l'opulence : grosse maison, grosse automobile, etc. — sans utiliser les autres vraies valeurs qui sommeillent en vous, votre fin de carrière risque d'être un fardeau lourd à traîner.

Des milliers de retraités font aujourd'hui l'expérience de la solitude. Ils ont une grosse maison, mais ils vivent seuls. Une luxueuse maison ne remplit pas le vide de l'âme.

Toute personne qui a uniquement vécu pour ses satisfactions matérielles, comme c'est le cas trop souvent, en négligeant les **points forts** — amitié, sensibilité, altruisme, bonnes relations humaines — a bien des chances de se retrouver seule.

Marcel cherchait les signes extérieurs de la réussite. Il ne négligeait rien pour atteindre son but, puisqu'il était uniquement préoccupé par lui.

Il avait commencé par noter la désertion de plusieurs de ses collègues, qu'il attribuait à un surcroît de travail. Cependant, avec les mois, cette désertion se changea en fuite.

On ne le consultait presque plus et on cherchait constamment à l'isoler, chacun le sachant d'un égoïsme forcené.

Marcel mit beaucoup de temps à comprendre ce qui se passait. Obnubilé par les **signes extérieurs** de sa réussite, il avait négligé tous les facteurs intérieurs qui procurent un taux de satisfaction élevé.

Il s'enfermait dans sa solitude, ne trouvait personne avec qui il pouvait partager des moments agréables. Ses anciens collègues le méprisaient. « C'est un pauvre type qui pensait emporter son magot dans l'au-delà. Rien ne semblait l'émouvoir. Il était toujours comme un cube de glace. Il n'avait rien à donner aux autres », disaient-ils.

Miser uniquement sur des attentes extérieures en développant une attitude égoïste extrême pour mieux atteindre son but, c'est vous placer tôt ou tard dans un cul-de-sac.

L'homme est un être de sentiments. Dans le temps et l'espace, seuls vos sentiments sont durables.

En omettant ou en se retranchant volontairement des **points forts** qui donnent au quotidien et à la vie toute sa substance humaine, vous serez perdant lorsque l'heure de la vérité sonnera. Elle arrive toujours à point pour vous obliger à rentrer en vous-même.

Il faut donc chercher un bon équilibre entre les attentes extérieures et les attentes intérieures et mettre dans son jeu les vraies valeurs qui ne se monnayent pas à la Bourse.

Récupérer ses pouvoirs par l'autosuggestion

Chez un individu, les points forts ne sont pas toujours apparents. Différents facteurs les empêchent de se manifester. Ils sont sous l'emprise d'ennemis : le pessimisme, l'inquiétude, la jalousie, le doute, l'absence de foi, etc. L'amour-propre piqué au vif peut devenir un virus malveillant qui saborde vos forces dormantes dans votre conscient.

« Je ne savais pas que j'avais autant de courage, déclarait ce jeune homme à la presse. Même si je nage très mal, je me suis jeté à l'eau pour sauver cet enfant. Quelque chose en moi m'y poussait. Je devais le faire au risque de ma propre vie. »

Ce sauveteur improvisé, nanti d'un courage soudain, n'ignorait pas que la peur avait toujours été pour lui une compagne détestable. Il avait toujours eu peur de tout, même de l'eau. Des circonstances particulières ont réveillé un **point fort** qu'il ignorait et il s'est conduit en véritable héros.

Il arrive bien souvent que nous hébergeons sans y prendre garde, par habitude ou par paresse, des ennemis clandestins qui nous empêchent de donner notre pleine mesure et qui contrôlent nos émotions.

41

« On m'avait dit que je serais toujours un gros zéro en affaires et cette idée s'est solidement implantée dans ma tête. Mais dès le moment où j'ai pu surmonter ce handicap, en rééduquant mon esprit perturbé, j'ai exploité un filon qui est devenu vite lucratif. »

Nos ennemis clandestins logent dans notre conscient là où se trouvent le doute, l'incertitude, l'inaction et le pessimisme.

Grâce à la persévérance et à l'autosuggestion, vous pouvez libérer vos énergies et récupérer tous les pouvoirs qui vous permettront de réaliser votre moi idéal.

Une perception valable de vos points faibles et forts

Dans l'exploration de nos **forces vitales**, on ne décèle pas toujours facilement quel est notre **point fort dominant**.

Le temps, l'expérience, un hasard heureux, les circonstances nous le font découvrir.

Souvent, ce sont les autres qui nous mettent sur la bonne piste.

Jusque-là, vous accomplissiez votre tâche avec aisance, sachant que vous étiez fort dans votre domaine, sans pour autant avoir des prétentions.

« Je suis fort parce que j'ai travaillé d'arrache-pied », direz-vous, notant que, dans le domaine où vous exercez votre talent, vous déclassez nettement vos collègues.

Cependant, en procédant par comparaison, votre excellence vous étonne.

«Stupéfiant! diront vos amis ou vos collègues. Ton talent nous fascine!»

Le compliment est désintéressé, donc sincère, et c'est grâce à eux que vous aurez la confirmation de votre valeur.

Il en va de même des atouts physiques.

C'est toujours un entraîneur qui fait prendre conscience à un athlète de ses capacités. D'abord, l'athlète est incrédule, mais forcé au dépassement, il se surprend lui-même de ses prouesses.

Les gens nous découvrent mieux souvent que nous pouvons le faire, car ils ont une perception assez juste de notre potentiel; ils nous libèrent de nos doutes et nous rendent conscient de nos points forts.

Qui trop embrasse mal étreint

Certains de vos amis et connaissances étonnent par leur polyvalence.

Ils touchent à tout avec brio, peignent, écrivent, bricolent avec une aisance remarquable.

Vous êtes peut-être l'un de ces touche-à-tout. Vous apprenez vite. Rien ne vous résiste.

Cette polyvalence pourrait être un **point fort**... mais également un **point faible.**

Tout est tellement facile que vous restez partout un dilettante... sans jamais atteindre l'excellence nulle part.

Arthur Leblanc, le célèbre violoniste, mit une douzaine d'années avant de maîtriser pleinement son art.

À raison de huit heures de pratique par jour, Roland Petit, célèbre chorégraphe, atteignit la perfection.

Toute discipline exige pour celui qui la pratique une application soutenue. Le dicton « Vingt fois sur le métier, remettez votre ouvrage » garde toujours son actualité.

Tout admirable qu'elle soit, la polyvalence peut être un traquenard, un obstacle au perfectionnement.

Vous faites tout avec brio, sans le faire à fond. En réalité, cette polyvalence vous empêche d'adopter une discipline car, habile en tout, vous ne savez trop quoi choisir.

Vous avez là un **point faible** de taille.

Entre le dilettantisme si agréable et une discipline spécifique à maîtriser, vous devrez faire un choix.

Mais les touche-à-tout ont l'art de se complaire dans la polyvalence, source de bien des satisfactions.

Un point faible frustrant

À tout moment, parlant de la température, des personnes de votre entourage diront: «Quel pays de misère!»

S'il fait trop chaud, elles feront une remarque acerbe: «Comment travailler avec une chaleur pareille!»

Si le temps est au froid, elles s'écrieront: «J'en ai assez! Je pars pour la Floride.»

Mais où qu'elles soient, elles ne seront jamais contentes.

Si le voisin achète une automobile, elles le critiqueront: «C'est un panier percé. Il jette son argent par les fenêtres. Il va finir sur la paille.»

Les gens peu harmonieux avec la nature, leur entourage, leur travail, ont l'art de se plaindre de tout, de n'être contents de rien, d'être rabat-joie.

Ils gâtent vos beaux moments et s'acharnent à vous prouver que vous avez tort sur toute la ligne. Acrimonieux, ils éprouvent du plaisir, dirait-on, à rendre leur entourage malheureux. Tout ce que vous entreprenez est inévitablement mauvais.

Cette disharmonie vous fera perdre des collaborateurs précieux s'ils sont dans votre équipe.

On pourrait expliquer l'absence d'harmonie par un manque de réflexion et d'équilibre. Fait-on tuer son chien parce qu'il a des puces?

45

Il s'agit d'un **point faible** de taille imputable à un vice de caractère qui peut être corrigé par la rééducation.

Rendre sa voix plaisante et musicale alors qu'elle est nasillarde et monocorde, est une façon parmi tant d'autres de vous rendre agréable auprès des gens que vous côtoyez.

Jactance et modestie

La fausse modestie est le raffinement de la vanité, comme l'oisiveté est la mère des vices.

Il n'y a rien de plus humain que de vouloir paraître être autre chose que ce que l'on n'est pas, et d'adopter en certaines circonstances — pour épater la galerie — une extrême satisfaction de soi.

Si vous vous citez souvent comme un modèle et que vous vous louangez sur des sujets que d'autres n'oseraient vous faire, vous risquez fort de vous priver d'appuis sérieux. En effet, vos interlocuteurs pourraient tirer des conclusions qui ne seraient pas à votre avantage.

L'un des **points faibles** de plusieurs individus est la démesure et l'outrance lorsqu'ils parlent d'eux-mêmes et s'efforcent — pour faire des gains — de déborder les cadres de la bienséance.

Toute démarche de votre part doit être entreprise sous le signe de la modestie, ce qui est davantage apprécié chez vos interlocuteurs.

Éliminez les fanfaronnades dont certains sont friands. Exposez succinctement un projet sans recourir aux artifices qui peuvent vous rendent suspect et éveiller la méfiance chez votre interlocuteur.

Ayez toujours à l'esprit que les grands hommes possèdent deux qualités : la modestie et la mesure.

Laissez jouer naturellement les **points forts** de votre personnalité sans les « **effets spéciaux** » qui pourrraient dérouter un interlocuteur conservateur.

Après tout, vous n'êtes pas au cinéma et votre comportement doit rester dans les normes. Trop de jactance pourrait réduire à néant une démarche que vous avez longuement préparée.

Une source d'amères déceptions

Courir après le mauvais lièvre, entretenir des illusions, prendre ses rêves pour des réalités sont très souvent le lot de ceux qui font de mauvais calculs et privilégient les fausses attentes.

Toute attente s'inscrit dans un processus réaliste :

— être en corrélation avec un point fort existant ;

— s'harmoniser avec vos images intérieures et extérieures ;

— passer par différentes étapes et progresser selon une stratégie pratique ;

— renfermer une récompense anticipée ;

— être partagé par une personne soucieuse de vos succès.

En ayant pleinement conscience de vos points forts, il sera plus facile pour vous de vous débarrasser des fausses attentes, source de démoralisation. Plus le but paraît proche et semble vous échapper, plus vous devrez vous montrer vigilant, car vous êtes possiblement monté dans le mauvais bateau. Vous n'avez pas su faire la part entre la réalité et vos rêves intérieurs et la proie devient difficile à saisir. C'est un peu comme si vous alliez à la chasse à l'éléphant avec un tire-pois. Les résultats seront pitoyables.

Beaucoup de gens vivent en permanence en fonction de fausses attentes. Ils attendent quelque chose qui n'arrive jamais. Ils n'ont pas le courage de séparer l'ivraie du bon grain. Ils se sécurisent dans la poursuite imaginaire d'objectifs nébuleux.

Logiquement, tout but réalisable doit se matérialiser au bout d'un certain temps. Les résultats de vos efforts doivent être enregistrés progressivement. Vous avancez, vous ne reculez pas.

Les fausses attentes ne vous font ni descendre ni monter. Elles sont statiques.

Si c'est votre cas, rejetez-les car vous n'arriverez jamais à votre destination. Vous êtes monté dans le mauvais train, descendez pour analyser de nouveau vos priorités, parce que c'est le meilleur moyen d'atteindre vos objectifs.

Chapitre 3

Connaître ses forces et ses faiblesses

Au lieu de gérer les déficits, gérez les acquisitions

Si un peuple a fourni au monde entier la preuve éclatante qu'il pouvait se sortir d'une situation catastrophique pour devenir en moins de quarante ans la deuxième plus grande puissance industrielle au monde, c'est bien le Japon.

Discipline, cohésion, courage, innovation ont marqué l'histoire économique moderne d'un pays qui, hier encore, pratiquait le féodalisme.

Les Japonais n'ont pas caché qu'ils prenaient le meilleur chez leurs concurrents. Encore considérés comme des copistes il n'y a pas si longtemps, ils sont vite devenus des innovateurs en mettant de l'avant une formule assez simple : gérer nos forces, déléguer nos faiblesses.

« Nous développons nos points forts au maximum, explique un entraîneur chinois, ce qui écrase finalement nos faiblesses. »

Cette théorie s'applique à l'échelle individuelle.

Vous avez probablement tendance à négliger vos points forts pour une raison très simple : vous les possédez et les maîtrisez bien.

Alors, ne vous attardez pas à vouloir mettre de l'avant vos points faibles mais miser plutôt sur le développement maximal de vos points forts.

Améliorer vos points faibles, c'est bien, mais en connaissant leurs limites, il serait souhaitable de les déléguer pour éviter de perdre votre temps.

Si les colonnes de chiffres vous ennuient, confiez-les à un comptable. À quoi cela sert-il de piétiner lamentablement, d'accumuler les erreurs, de vous tromper de colonne ? Que voulez-vous prouver au juste ? Que vous êtes aussi bon que le comptable ?

Vous avez une automobile et, à moins que vous ne soyez vous-même un spécialiste, jamais il ne vous viendra à l'idée d'effectuer une réparation.

Votre méconnaissance de la mécanique est une lacune que vous comblez en la déléguant. L'important, c'est que le moteur tourne.

La sagesse commande de ne pas s'éparpiller. Faites pour le mieux ce que vous savez faire de mieux et tirez le meilleur profit de vos forces.

Envisagez les améliorations selon un ordre de grandeur réaliste et ne vous préoccupez pas de petites choses futiles.

Qu'est-ce qu'un point fort? Pour rendre la question plus facile, on pourrait définir un **point fort** selon quatre types.

Premier type : les dons, les talents physiques et naturels, tout ce qui a un caractère de spontanéité.

Deuxième type : englobe la motivation, la persévérance, l'altruisme, la perfection, le goût de la compétitivité.

Troisième type : indique une manière d'être, de penser, de sentir, de réagir par rapport aux événements.

Quatrième type : exprime le moi idéal, la volonté de réussir et de s'assumer selon sa spécificité. Vouloir, c'est pouvoir.

Ces quatre types réunissent un ensemble d'aspirations et de tendances. Devenir un athlète, un as vendeur, un médecin réputé, un architecte de renom, un pâtissier créatif, etc., est un pôle de reconnaissance.

Ce que vous faites bien

Tout commence à la base.

Sans avoir l'expertise ou la compétence dans un domaine précis, il y a des choses que vous accomplissez avec aisance.

Faites la liste des tâches que vous entreprenez et que vous conduisez à bon port avec des efforts relatifs :

— Travaux de rénovation

— Ébénisterie

— Mécanique

— Dessin industriel

— Peinture à l'huile

— Comptabilité

— Vente

— Organisation

— Promotion

— Marketing

— Etc.

Le choix est vaste.

Lorsque vous ferez l'inventaire de vos possibilités, faites ressortir les points qui vous procurent le maximum de satisfaction.

Dressez aussi la liste des choses que vous pouvez effectuer avec des résultats plus ou moins heureux.

Attribuez-vous des notes :

— Excellent

— Bon

— Moyen

— Médiocre

Posez-vous ensuite les questions suivantes :

— Quel est mon point fort avec lequel je pourrais réaliser mon moi idéal ?

— Ai-je dans mon jeu assez de bonnes cartes pour atteindre mon but ?

— Ma motivation est-elle suffisamment forte pour que j'aille jusqu'au bout de mon idée ?

— Quels sont mes alliés naturels et dans quelle mesure peuvent-ils m'aider à atteindre mon but ?

— Suis-je suffisamment persévérant et confiant en moi-même pour ne pas me laisser abattre par les obstacles ?

Ce petit questionnaire vous aidera tout d'abord à vous définir, puis à reconnaître le ou les événements qui vous font **agir**.

Gardez à l'esprit — telle une loi inéluctable — que le but essentiel de votre vie, c'est d'abord le développement de vous-même et que vous êtes le seul maître de vos choix.

Les insuccès — neuf fois sur dix — sont causés par des lacunes qui résultent de vos points faibles et à l'impulsion de vos points forts qui sont non activés ou mal maîtrisés.

Distinctions et différences

Par opposition à un bien matériel, palpable et visible, un point fort est une **faculté intérieure** impalpable.

Votre gérant de banque ne vous consentira pas un prêt parce que vous possédez une telle valeur ou un tel don ou des ressources intellectuelles rares. Mais vous l'obtiendrez facilement si vous lui offrez votre maison en garantie.

Les institutions bancaires sont incapables d'abstraction et c'est là leur moindre défaut.

On pourrait définir une faculté comme une possession intime et personnelle qui prend sa source ou s'alimente à l'âme, à la sensibilité et à l'intelligence.

Qu'est-ce qu'un avantage ?

La distinction n'est pas difficile à établir entre un point fort et un avantage.

Votre père, en mourant, vous a légué un million de dollars, ce qui vous confère un net avantage. Par rapport à ceux qui ne recevront jamais d'héritage, vous êtes avantagé, parce que le point fort origine de la faculté.

Dans votre cheminement de vie, vous êtes avantagé ou désavantagé. Vous venez d'un milieu bourgeois, vous avez reçu une bonne éducation, vos parents habitent une maison cossue. Vous démarrez donc dans la vie avec de nets avantages contrairement au pauvre homme qui ne doit compter que sur lui pour tenter d'améliorer son sort. Si le talent ne vous fait pas défaut, vous avez un point fort qu'il vous faudra développer pour multiplier vos avantages. Mais le talent est rare.

«Ce n'est pas la rareté de l'argent, mais la rareté des hommes de talent qui rend un empire faible», a écrit Voltaire.

Michel-Ange possédait du génie, Balzac un talent fou, Stephen King de la virtuosité, alors que la majorité des individus doivent se contenter d'avantages, ce qui est déjà énorme.

Connaître ses limites

L'une des erreurs les plus courantes est de croire que vous pouvez tout faire, que rien ne vous résistera et que vous excellez partout.

Au départ, cette attitude n'est pas pas positive ; elle s'inscrit plutôt dans une fausse approche de ses possibilités.

« S'il le fait, je peux le faire ! »

Vous ne pouvez pas être Michel-Ange, Picasso ou Balzac, pas plus que vous ne pouvez apprendre à un cochon à danser le menuet.

Les prétentions mal orientées servent mal tout individu qui, selon l'expression consacrée, « se prend pour un autre ».

Essayer de réussir dans un domaine où l'on est franchement mauvais, vous fera douter de vous-même. Car là où les autres excellent et brillent, vous serez toujours second.

À chacun sa mesure

Vous connaissez sans aucun doute le principe de Peter. En résumé, tout individu atteint vite son niveau d'incompétence s'il déborde le cadre de ses possibilités.

«J'étais heureux dans mes fonctions de vendeur, raconte Charles. Je me débrouillais très bien. Depuis des années, je me classais parmi les deux premiers vendeurs de la compagnie. Mais en acceptant le poste de directeur des ventes, je me suis fourvoyé. Confronté aux contraintes, aux rapports laborieux, aux nombreuses réunions, je me suis senti dépassé par les événements. Je n'avais pas non plus la personnalité pour jouer le rôle d'animateur auprès des groupes de vente. Je pouvais très bien être mon propre stimulant, mais il m'était difficile de communiquer ma ferveur à autrui. Alors j'ai commencé à être malheureux, car mon niveau de satisfaction était au plus bas. Un jour, n'en pouvant plus, j'ai réintégré ma fonction de vendeur, rôle que j'avais toujours assumé avec brio.»

Des milliers d'individus comme Charles font fausse route. Ils accordent des pianos, alors que leur talent se trouve dans la mécanique.

Si vous êtes dans le mauvais domaine, vous serez toujours médiocre par rapport au champion du groupe auquel vous appartenez.

Ne cherchez pas midi à quatorze heures. Posez-vous plutôt ces questions :

— Que faites-vous de mieux?

— Votre niveau de satisfaction est-il constant lorsque vous restez dans les limites de vos possibilités?

D'instinct, vous savez très bien quels sont vos points forts et vos points faibles. Vous perdriez votre temps si vous décidiez de vous inscrire dans une école de musique, alors que tout vous en éloigne.

On entend souvent des gens dire qu'ils sont très doués pour telle ou telle chose, mais que les circonstances les empêchent de donner leur pleine mesure. Ils doivent travailler, bref, faire un boulot qu'ils n'aiment pas.

S'ils avaient vraiment le talent dont ils se vantent, ils n'hésiteraient pas à s'imposer des sacrifices pour le mettre en valeur.

Connaître ses limites, c'est déjà beaucoup. Les ignorer, c'est s'exposer à des mésaventures et à des déceptions.

Évitez le piège de la vanité qui vous force à vous comparer ou à tenter d'imiter les autres : il le fait, je suis capable de le faire.

Rien de plus faux. Même si vous le vouliez, vous ne pourriez pas battre le record du mille demain... même avec une longue préparation.

Trop de gens ignorent que l'a b c du succès, c'est d'être réaliste par rapport à soi.

Les majors qui affichent de grandes réussites ont pallié leurs lacunes en s'entourant de collaborateurs qui suppléaient à leurs faiblesses.

« Moi, je ne veux rien savoir ! »

On ne découvre pas toujours facilement nos faiblesses tant elles font partie intégrante de nos comportements. Les faiblesses parasitent nos forces vives et s'expriment par une approche négative.

«Je n'aime pas beaucoup mon boulot. Si je le pouvais, je changerais d'emploi. Me lever le matin est un véritable calvaire.»

«La pression est trop forte. On me demande souvent de faire du travail supplémentaire. À qui cela profite-t-il, sinon à l'impôt? Je refuse ces corvées.»

«Je ne suis pas tellement content de mon style de vie et je cherche des dérivatifs en fréquentant les bars, en prenant de bons gueuletons dans les restaurants, en m'amusant beaucoup.»

«Je trouve mes collègues insupportables. J'ai toujours hâte au vendredi pour ne plus les voir pendant deux jours.»

«Tout ce qui m'intéresse dans l'entreprise qui m'emploie, c'est le salaire que je touche à la fin de la semaine.»

«J'ai horreur du zèle... et j'en fais le moins possible.»

«On ne peut pas vraiment me mettre à la porte, car le syndicat me protège.»

«J'accumule des griefs contre mon employeur et plus il s'énerve, plus je suis content.»

«Je fais exclusivement un travail de routine; il y a pas mal de choses à améliorer, mais je ne suis pas payé pour leur fournir des idées.»

«Même si j'en ai l'occasion, je ne prends jamais d'initiative; ça servirait aux autres, à mon propre détriment.»

«Il y a des jours où je suis tellement écoeuré que je me retiens pour ne pas donner ma démission.»

«Je regarde sans arrêt la grande horloge accrochée au mur devant mon bureau... en espérant que l'heure du départ va sonner.»

«Je reste dans mon coin, je me mêle de mes affaires, je ne veux rien savoir des autres.»

«Je me fous de ce qui peut arriver à mon entreprise; après tout, elle ne m'appartient pas.»

«Je trouve toutes sortes de prétextes pour me la couler douce ou m'absenter.»

«Le monde, c'est de la foutaise, comme la politique, ma compagnie et mon boulot.»

«J'ai déjà refusé de l'avancement parce qu'on voulait me confier des responsabilités.»

«À deux ans de la retraite, ça fait déjà dix ans que j'ai quitté mentalement la compagnie.»

«Le secret dans la vie, c'est de se laisser vivre, de nager dans le courant et de durer.»

«Dans toutes les situations, je demeure neutre. Je suis toujours d'accord.»

«On m'avait dit que je prendrais du galon dans mon entreprise. Pour cinquante dollars de plus par mois, j'aime mieux rester où je suis.»

«Je suis réaliste, moi! Il y a longtemps que j'ai perdu toutes mes illusions.»

«Le patron est un salopard et je me réjouis quand il lui arrive des malheurs.»

«J'ai beau regarder autour de moi et écouter les autres dire que la vie est belle, je ne vois rien de beau là-dedans.»

«Je fais ma «petite vie» et c'est bien comme ça. Je ne suis ni content ni mécontent de rien... pourvu que je mange mon steak une fois par semaine.»

«Je ne comprends pas les gens qui ont de l'ambition car ils se tuent au travail pour des trucs qui n'en valent pas la peine.»

Ne croyez pas que l'on a brossé un portrait trop excessif.

Vous avez probablement reconnu plusieurs de vos amis, connaissances et collègues qui ne veulent «rien savoir», expression consacrée pour marquer son indifférence. Ces individus mettent en évidence leur égoïsme forcené, une absence totale de sensibilité et d'altruisme, et une vision sclérosée de leur travail au sein d'une équipe.

Même si l'on est négatif, il est toujours possible, avec de la bonne volonté, de corriger ses points faibles en fréquentant des gens positifs et enthousiastes.

Dans l'affirmation de soi et la rééducation de son psychisme, on peut triompher de son apathie même si le moral est au plus bas.

Il faut seulement avoir le courage de commencer.

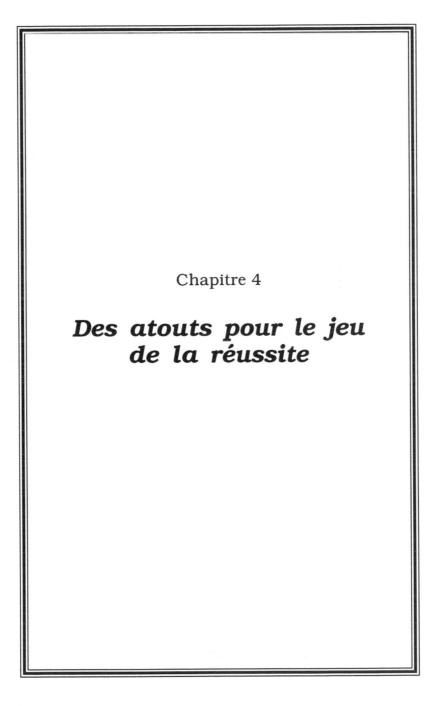

Chapitre 4

Des atouts pour le jeu
de la réussite

On va plus loin et plus vite
en ayant un bon caractère

Le talent se forme dans la solitude, le caractère dans la société.

Le comportement se résume à ce que nous observons. La façon de nous conduire et de réagir par rapport aux événements révèle notre caractère. Celui-ci constitue le miroir psychologique et moral de notre personne.

On arrive toujours plus vite à son but par son caractère que par son talent.

Plusieurs de nos connaissances souffrent de troubles de comportement. Souvent, sans raison valable, elles sortent de leurs gonds. Elles trépignent, ragent, vilipendent et se conduisent irrationnellement.

Après quelques crises de comportement, vous en arrivez à la conclusion que ces personnes ont un sale caractère et n'arrivent pas à contrôler leurs émotions.

Un directeur de service se plaint de ne pas monter plus vite en grade. On a déjà pensé à lui pour une vice-présidence, mais son dossier comporte la mention suivante : imprévisible, mauvais caractère, peu de maîtrise de ses émotions.

Vous connaissez sans doute ce quatrain de Destouches :

Je ne vous dirai pas changez de caractère,

Car on n'en change point, je ne le sais que trop,

Chassez le naturel, il revient au galop,

Mais de grâce, je vous dis, songez à vous contraindre.

Non maîtrisé, un sale caractère devient un handicap, un **point faible** qui nuit aux chances de succès.

On peut être soupe au lait sans avoir un mauvais caractère, protester avec véhémence contre une injustice, défendre passionnément un projet, sans que notre caractère soit en cause.

Les Japonais vous diront que celui qui est maître de son caractère est maître de tout.

M. de Salaberry, personnage historique doté d'une force herculéenne, se promenait toujours avec une canne qui ressemblait à une massue. À ceux qui s'étonnaient de le voir se promener avec un poids pareil au bout du poing, il expliquait :

«C'est pour rappeler à l'ordre mon caractère quand il sort de ses gonds. »

Si votre caractère voue joue des tours, ayez suffisamment de caractère pour dompter... votre « sale caractère » !

N'oubliez pas que le bien que vous vous faites la veille en ayant gardé votre calme dans une situation difficile, fera votre contentement le lendemain.

Un atout majeur pour réaliser son but

L'anecdote suivante témoigne que toute action concrète et significative ne trouvera pas son aboutissement normal si la persévérance fait défaut.

Dans les années soixante, quatre amis formèrent une compagnie pour œuvrer dans le domaine des communications. Les débuts furent difficiles, pénibles. Une succession de petites et de grandes épreuves rendirent précaire une situation matérielle déjà peu reluisante. Au plus fort de la tourmente, deux des associés exprimèrent le désir de partir et de récupérer leur mise de fonds.

Ils craignaient de tout perdre dans l'aventure. Certains obstacles paraissaient insurmontables et les deux démissionnaires manquaient au départ de conviction, de foi et de persévérance.

Dix ans plus tard, l'entreprise avait un chiffre d'affaires de plusieurs millions et enregistrait dès sa troisième année d'existence des profits rondelets.

Les démissionnaires eurent bien sûr la larme à l'œil, avouant, penauds, qu'ils auraient dû continuer.

Sans la persévérance, vous n'irez pas loin.

Interrogez-vous. Cette faculté est-elle forte ou faible chez vous? Vos expériences passées ou actuelles démontrent-elles que vous avez de la suite dans les idées? Que vous alliez jusqu'au bout, que les embûches ne vous arrêtent pas, mais qu'elles alimentent au contraire cette faculté motrice qu'est la persévérance.

Vous avez là un **point fort**, une force constructive qui intensifie votre désir de réussir.

Les très grands chercheurs misent d'abord sur la persévérance, atout primordial de toute réussite. D'ailleurs, le célèbre astronome Newton recommença quinze fois son arithmétique universelle.

Vous connaissez sans doute pour l'avoir vue la fresque inoubliable de *La Dernière Cène*. Son auteur, le peintre Titien, disait à ceux qui s'émerveillaient de le voir sans arrêt corriger un détail et qui s'étonnaient de sa persévérance :

— J'y travaille jour et nuit. Mon esprit et ma toile ne font qu'un.

— Et quand donc la finirez-vous?

— Le temps compte peu pourvu que j'atteigne mon but.

Titien mit sept ans pour terminer son chef-d'œuvre.

On demandait à Newton comment il en était arrivé à faire de si grandes découvertes. « Je ne cesse de penser à un projet. J'y travaille sans arrêt. »

Avant de le rendre public, Fénélon recopia dix-huit fois son livre sur l'éducation.

Sans persévérance, croyez-vous que les architectes et les artistes auraient pu multiplier ces merveilles qui étonnent encore par leur splendeur ? Le Louvre, en France, le Quirinal, en Italie, l'Escurial, en Espagne, Sainte-Sophie, à Istanbul, témoignent du fait que la persévérance est au cœur de l'action, la clé du succès.

Sans la ténacité et la persévérance de Champlain, Québec n'aurait pas vu le jour. Confronté à des obstacles surhumains, il traversa l'océan Atlantique vingt-sept fois pour défendre son projet.

Qu'importe la façon de le faire, pourvu qu'on le fasse

L'argent n'est qu'un outil parmi tant d'autres pour réaliser son but. Les grands industriels ont démarré avec des investissements mineurs.

Les facteurs qui ont contribué à leur ascension furent les suivants :

— une idée maîtresse ;

— le feu sacré ;

— une confiance inébranlable ;

— des circonstances favorables ;

— une intelligence pratique ;

— un but réalisable ;

— un optimisme à tout crin ;

— la persévérance.

Si cette faculté vous fait défaut, commencez sans tarder à l'apprivoiser d'abord dans les petites choses. En pleine possession de cette force, vous passerez à l'éxécution de travaux plus importants.

Comme le dit le proverbe : «Rien ne sert de courir, il faut partir à point.»

Ne lâchez pas un filon prometteur

Le succès ne tombe pas du ciel automatiquement. Il requiert un certain nombre de préalables dont le premier est la ferveur.

Nous côtoyons régulièrement des individus qui cherchent à sortir de la chasse après avoir peiné durant plusieurs années pour bâtir leur carrière.

Des artistes, des athlètes prometteurs, des créateurs entrent dans cette catégorie. Surviennent quelques échecs et le doute s'installe en eux. Ils ont toujours foi en leur talent, ils sont conscients de leur potentiel, mais ils craquent à mi-chemin du sommet oubliant que rien n'est définitivement acquis, ni la gloire, ni la fortune, ni les conquêtes.

Que s'est-il passé pour que des individus pleins de talent, au tournant de la réussite, veuillent tout balancer du jour au lendemain et déclarent : «À présent, je vais me chercher un vrai métier»... alors qu'ils en ont un !

Ce dérapage est fréquent dans la poursuite du succès. À deux doigts du fil d'arrivée, on s'explique difficilement ce décrochage.

Il se peut que ce soit votre cas. Vous espériez, après tant d'efforts, une réponse plus valorisante, une reconnaissance méritée de votre public ou de votre employeur.

Les patrons, disons-le, ne sont pas toujours de bons juges en matière d'êtres humains.

Ne perdez jamais votre combativité

Lorsque tout va bien, il n'y a pas lieu de s'inquiéter. Dans une entreprise, chacun s'attribue une part du succès. Si tout va mal, les épreuves font ressortir les points faibles. Tel directeur que l'on croyait solide, agit comme une vraie lavette. Il perd une partie de ses moyens et se laisse aller au découragement.

C'est sur le champ de bataille que les bons hommes se démarquent. À un haut degré, ils possèdent l'esprit de combativité. Les circonstances périlleuses font émerger les points forts qui sommeillent en temps normal.

71

L'esprit guerrier est une force.

Si vous sacrifiez des années de préparation et d'investissement pour un éventuel métier qui ne correspond ni à vos attentes ni à vos espoir, c'est que vous avez perdu « l'esprit du combattant ».

Une démission, alors que le but à atteindre n'est pas loin, peut être néfaste sur le plan psychologique et mettre un frein à tous vos autres projets.

Si César n'avait pas été tenace, persévérant, combatif, jamais il n'aurait soumis la Gaule.

Pour chacun de nous, il y a un seuil de tolérance aux déceptions. Mais il faut toujours garder en soi deux atouts primordiaux : la détermination et l'esprit de combativité.

Si, un jour, vous en arrivez à douter de vous-même, affirmez-vous de cette façon : « Rien ni personne ne m'empêchera d'atteindre mon but et de réussir. »

Utilisez l'autosuggestion pour endurcir votre volonté et l'assujettir à l'idée maîtresse que vous êtes le meilleur dans votre domaine.

Faire émerger les images fortes

Processus de globalité, la visualisation n'est pas autre chose que du cinéma mental.

L'esprit possède ce pouvoir de franchir allègrement les espaces et de les remplir d'images passées ou futures.

Si, d'aventure, on vous posait la question suivante : Pourriez-vous décrire les principales étapes de votre cheminement pour les cinq prochaines années. Qu'en pensez-vous? Vous pourriez conceptualiser par la prospective et la visualisation différentes images.

Vous pourriez vous projeter dans l'avenir et spéculer à volonté. Vous connaissez le passé, vous appréhendez le présent, mais tout ce qui va au-delà du connu demeure une énigme. Vous imaginez donc un scénario (ou plusieurs) sans avoir l'assurance que vous tenez en main votre destinée. Qui peut prédire objectivement l'avenir?

De tout ce qui existe, le temps à venir est ce qui nous échappe le plus.

Le fait de visualiser votre grand projet, de le rendre permanent dans votre esprit grâce à la fréquence des images passées ou futures, consolide vos aspirations. Les séquences favorables du passé agissent comme un stimulant.

Il arrive parfois que le passé se porte garant de l'avenir, mais ce n'est pas toujours vrai.

Ce procédé exploratoire a ceci de bon qu'il vous garde sur le qui-vive.

Le stimulant du quotidien

L'un des points forts à développer pour se faire des alliés est la bonne humeur, fille de l'enthousiasme.

La bonne humeur déclenche un processus de partage et de complicité, souligne des instants forts, absorbe les chocs circonstanciels et désarme les personnes agressives.

La bonne humeur est contagieuse, fait naître l'enthousiasme, attire, captive, retient.

Si vous êtes du genre renfrogné, maussade, ne vous attendez pas à avoir une cour autour de vous. Votre réputation de geignard impénitent explique le fait que vous ne soyez pas bien entouré. Des amis ou des collègues qui aimaient vous rencontrer en ont assez de subir votre mauvaise humeur et vos comportements irrationnels face à un problème quelconque.

Vous avez d'autres belles qualités qui sont irrémédiablement gâtées par votre sale caractère. En amour, personne n'aime partager son existence avec un être méchant, pas plus que vos collègues ou vos amis aimeront subir longtemps vos sautes d'humeur.

Un candidat à la réussite — nous supposons que vous en êtes un — règle pour lui-même et les autres les mécanismes délicats de ses actes physiques et psychiques.

Il surmonte et maîtrise continuellement son potentiel nerveux.

«Je ne joue plus au tennis avec André, explique Richard, car je n'y prends aucun plaisir. Il casse sa raquette, me rend responsable de ses maladresses et m'engueule à tout propos. Je sors épuisé d'une partie. »

On fait le vide autour de vous

Louis, un ami et chef d'entreprise, raconte une anecdote qui mérite d'être citée.

Il avait à son emploi une secrétaire polyvalente. Hélas, son mauvais caractère et ses humeurs capricieuses gâtaient ses belles qualités. L'aborder exigeait que l'on mette des gants blancs.

Reconnu pour sa patience, Louis en vint à la conclusion qu'il ne pourrait garder Carmen à son emploi.

« Elle me rend de précieux services, nous confiait-il, mais en même temps elle a le don de m'exacerber. Si elle se comportait autrement, je lui donnerais tout de suite une substantielle augmentation. »

Louis se mit à étudier le comportement de sa secrétaire. Pourquoi tant de hargne, de mauvaise humeur ? Carmen n'était pas très belle, mais elle aurait pu améliorer son sort avec un minimum d'efforts. Que faire ?

Fin psychologue, Louis décida de mettre ses points forts en valeur. Le matin, il déposait une fleur sur sa table de travail et lui disait un joli compliment.

« Grâce à vous, Carmen, nous allons passer une magnifique journée. »

Ou encore : «Je vous trouve bien agréable ce matin.»

De fil en aiguille, Carmen fut prise au jeu. Elle modifia sa tenue, arrangea ses cheveux et prit soin de son maquillage. Elle était de moins en moins bourrue.

Louis la fit venir un matin dans son bureau.

«Carmen, lui dit-il, non seulement vous êtes compétente et efficace, mais vous êtes un véritable rayon de soleil pour le personnel de ce bureau. J'ai pensé souligner mon appréciation en vous donnant une augmentation de salaire.»

Dès ce moment, Carmen devint un véritable-rayon de soleil. Elle fit éclater sa véritable personnalité et rendit sa compagnie agréable.

Un fournisseur de Louis, qui multipliait les visites au bureau, la trouva fort à son goût et l'invita à dîner. Ce fut le début d'une idylle.

Cet exemple montre bien que la bonne humeur dans vos relations avec autrui est un outil de conquête. Étroitement liée au succès, elle reste un grand stimulant de l'action quotidienne.

N'oubliez pas que la vie est un miroir dans lequel vous vous réfléchissez.

Un plus un font trois

Pierre Curie et sa femme Marie travaillèrent en symbiose toute leur vie. Ils mirent en commun leurs **points forts** et développèrent la technique du « un plus un font trois ».

Au cinéma, Fred Astaire et Ginger Rogers conjuguèrent leurs forces pour former une seule unité de pensée et d'action.

On est toujours plus fort et plus efficace à deux que seul.

Tout le monde n'a pas cette chance de trouver un partenaire idéal, mais le hasard fait souvent bien les choses.

Pour vaincre les obstacles, atteindre son but, la complémentarité est un atout. L'idée de l'un est renforcée par les suggestions de l'autre. Ce que l'un n'a pas, l'autre le possède.

Ce type d'association — partage de l'idéal et des émotions — peut durer toute une vie, tant et aussi longtemps que les partenaires acceptent de partager leur succès.

La complémentarité est porteuse de grandes satisfactions, mais il faut aux partenaires une bonne maturité qui s'acquiert dans la générosité et la confiance mutuelle.

Si vous possédez ce **point fort**, alors vous êtes comblé !

La clé de la réussite

« Je me fiche des autres ! » proclament certaines personnes. Je suis comme je suis. Si les autres ne sont pas contents, qu'ils aillent au diable ! » Et

77

pour bien démontrer qu'elles croient ce qu'elles disent, ces personnes affichent des comportements méprisants.

Énumérons quelques-uns de ces gestes discourtois dont elles sont coutumières.

— Elles se présentent sales et dans une tenue débraillée à une soirée qui réunit des gens conservateurs.

— Elles affichent ouvertement leur mépris pour les petits bourgeois et avouent sans pudeur qu'elles exploitent le système au détriment de celles qui sont les plus lourdement taxées.

— Elles se moquent des valeurs des invités et les traitent de rétrogrades.

— Elles se conduisent avec une absence totale de civisme et une désinvolture choquante, fouillent dans le réfrigérateur, les tiroirs, etc.

— Elles boivent immodérément, s'endorment au beau milieu de la pièce où les invités sont réunis.

— Elles s'identifient aux marginaux croyant faire chic, alors qu'elles sont grossières et barbares.

Et quoi que vous pensiez du savoir-vivre — valeur désuète pour un grand nombre de gens —, il a encore sa place partout et devient un **point fort** dans la conquête de vos objectifs. La politesse facilite et génère les bonnes affaires.

Qui n'est pas assez poli n'est pas suffisamment humain, affirme un philosophe.

Le savoir-vivre dénote votre état d'esprit. Les autres disent: « S'il respecte les autres, il respectera éventuellement ses ententes. »

Un peintre, appelons-le Raoul, avait été invité un jour dans le salon d'une femme bien née et bien nantie. Elle le reçut avec chaleur et cordialité, décidée à faire l'acquisition de l'une de ses toiles.

Au cours de la soirée, le polisson se déchaussa et s'assit à califourchon sur l'une des extrémités du divan, geste qui eut l'heur de déplaire à l'hôtesse. Non seulement elle n'acheta pas la toile, mais elle se jura de fermer sa porte à tout jamais à l'hurluberlu si peu respectueux des usages, de prévenir également ses intimes de se tenir loin de ce malotru.

Par son attitude inconvenante, le peintre en question se coupa d'une clientèle intéressante, perdit beaucoup d'argent et laissa à son départ une impression défavorable.

Le savoir-vivre est la clé de la réussite sociale. Vous surprendrez toujours agréablement par vos bonnes manières, mais vous décevrez et laisserez une impression indélébile dans l'esprit des autres si le rustre domine l'homme civilisé.

Choisir ses relations

Pour donner à vos points forts plus de consistance, faites vôtre le proverbe: « Dis-moi qui tu fréquentes et je te dirai qui tu es. »

D'ordinaire, les gens faibles fréquentent leurs semblables. Les geignards aiment la compagnie de ceux qui leur ressemblent. Comme dans la nature, les loups sont avec les loups, les ours avec les ours et les lièvres avec les lièvres.

Pour vous réaliser pleinement, pour intensifier vos points forts, vous devrez rechercher des amis et des connaissances dont le contact sera tonifiant.

Laissez à eux-mêmes les aigris, les pessimistes qui n'ont foi en personne et ne voient que le côté sombre des choses ainsi que les déséquilibrés à la recherche d'un thaumaturge, car vous n'en êtes pas un. Et si, à l'occasion, vous vous montrez bon samaritain, n'en faites pas une religion.

Les optimistes comme vous s'adaptent facilement à toutes les situations et savent tirer des leçons des circonstances désavantageuses.

Malgré votre bonne volonté, vous ne pourrez pas vous adapter à n'importe qui. Si on vous critique, dites-vous que pendant que les chiens aboient, la caravane passe.

Vos **points forts** associés aux **points forts** d'un tiers vous fourniront l'occasion de puiser dans d'autres réserves d'enthousiasme qui vous stimuleront.

Adoptez un itinéraire et ne le changez pas à tout propos. Ne regardez pas en arrière, mais devant.

Persévérez dans l'amélioration de votre moi idéal et faites-vous un devoir de terminer ce que vous avez commencé.

En toutes circonstances, fuyez ceux qui vous font perdre votre temps. Les gens qui n'arrivent à rien ont tendance à hypothéquer le temps des autres.

Soyez persévérant et répétez-vous que la plupart des individus ont démissionné lorsqu'ils allaient atteindre leur but.

Les défis stimulants

Les défis stimulants, qui sont d'ordre matériel, représentent des étapes importantes vers l'objectif. Nommons-en quelques-uns :

— obtenir le poste de directeur général de son service ;

— être nommé le meilleur vendeur de l'année ;

— recevoir une augmentation de salaire sans l'avoir demandée ;

— être choisi par son entreprise pour une mission spécifique à l'étranger, par exemple l'ouverture de nouveaux marchés ;

— remplacer le président durant son absence avec les pleins pouvoirs ;

— remporter le championnat de golf de la compagnie ;

81

— recevoir une rétribution pour une initiative louable ;

— recevoir la même semaine plusieurs offres de compagnies concurrentes ;

— réussir la plus grosse vente de sa carrière ;

— prendre ses premières vraies vacances avec son conjoint ;

— acquérir la maison de ses rêves pour y loger sa famille ;

— acheter un bateau et se familiariser avec la navigation ;

— recevoir de son patron une lettre d'appréciation ;

— grimper les échelons en devançant les étapes.

Tous ces catalyseurs — et bien d'autres — ont des effets positifs à court terme et influencent les décisions que vous prenez.

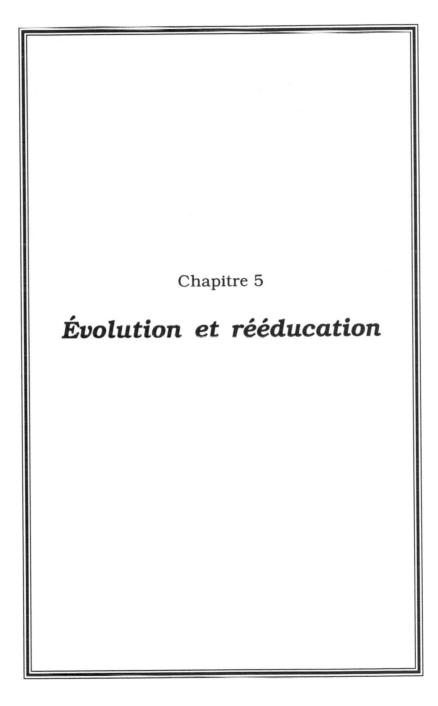

Chapitre 5

Évolution et rééducation

Croire d'abord, comprendre ensuite

Dans la recherche et le développement maximum de votre potentiel, vos **points forts** doivent correspondre à votre **vraie nature**.

Votre personnalité peut s'améliorer, mais la travestir (pour paraître ce que vous n'êtes pas), engendrera la confusion et le mécontentement.

Plus l'idée forte est conforme à vous-même, plus vos **points forts** serviront vos fins.

Votre superconscient agit comme le régulateur de l'idée motrice. Il vous indique ce qui vous convient ou pas. Il communique ses impressions à votre esprit conscient, influe sur vos activités physiques et mentales, et détermine vos attitudes.

Contrôlez et surveillez vos pensées. Le succès n'est pas autre chose qu'une affaire d'entraînement.

Vous voulez développer un **point fort** en particulier, par exemple la concentration. Il faut donc rechercher l'occasion de vous concentrer sur une chose unique.

Vous voulez améliorer un **point faible**, par exemple votre timidité presque maladive. Donnez-vous comme but de vous adresser d'abord à un auditoire restreint puis de l'élargir au fur et à mesure que vous prenez de l'assurance.

Vous voulez vaincre la peur qui vous envahit chaque fois que l'on vous confie un travail qui semble au-dessus de vos forces? Attaquez-la résolument, avec foi, car la confiance vous révélera des forces qui sommeillent en vous.

Ne soyez pas timoré. Croyez d'abord pouvoir réussir, vous comprendrez ensuite.

L'infortune commence à partir du moment où vous entretenez un doute dans votre esprit.

Votre vraie nature doit concilier le cœur et l'esprit. Laissez votre intuition vous guider dans les moments d'incertitude.

C'est pour soi que l'on améliore ses points faibles

Nous vivons dans une société multioptionnelle. Il devient donc de plus en plus difficile de faire des choix judicieux, car cette pluralité de goûts développe des comportements opposés.

Les avenues de la réussite ne sont plus celles du début du siècle. La communication de masse a bouleversé les concepts traditionnels en plus d'accélérer la chute des hiérarchies.

Cette évolution rapide reste essentiellement technologique et si l'on parle des machines pour ce qui est de leur perfectionnement, il est rare que l'homme-individu soit au centre des préoccupations modernes. L'évolution se mesure à l'échelle matérielle et non à l'échelle spirituelle. Malheureusement, l'humain ne progresse pas au même rythme que la technologie. Deux forces semblent s'opposer et aller dans des directions différentes.

De nos jours, que disent et répètent les gens?

— On ne peut pas changer le monde.

— On ne peut pas changer la société.

— Tout change, même contre sa volonté et sans qu'on n'y puisse rien.

Pourquoi changeriez-vous vos **points faibles** en **points forts**?

Prenons le cas d'un homme et d'une femme qui se marient.

Ils apportent, dans l'univers du connu et de l'inconnu, leurs qualités et leurs défauts. Encore chanceux si les qualités d'un des conjoints éclipsent les défauts, et vice versa. Mais comme tout tend vers l'évolution, vous avez bon espoir que votre conjoint corrigera ses points faibles au fil des ans.

Ne dit-on pas des amis qu'il faut les prendre tels qu'ils sont, jouir de leurs qualités et se montrer indulgents pour leurs défauts? Cependant, vous gardez bon espoir en cours de route que vos amis amélioreront graduellement leurs points faibles.

En réalité, vous pouvez toujours vous accommoder de leurs défauts, mais vous pensez avec justesse qu'il est plus agréable et profitable que vos amis vous offrent la meilleure part et la meilleure image d'eux-mêmes. Un sommelier n'offre-t-il pas ses meilleures bouteilles à des dégustateurs?

Pourquoi s'améliorer à tout prix et corriger ses points faibles?

Si on accepte le préalable que vos points faibles ne sont pas pires que ceux des autres, tout devrait donc aller comme dans le meilleur des mondes. Cependant, dans la perspective que tout évolue, vous améliorez vos points faibles avec le seul souci de vous **réaliser** pleinement, de développer vos forces dormantes et d'augmenter l'estime de soi.

Le grand succès d'une réussite, c'est avant tout de savourer l'intense satisfaction de dominer ses points faibles pour en faire des points forts.

Plus vous orienterez vos efforts vers une évolution constante de votre moi idéal, plus vous vous sentirez grandi dans votre propre estime.

C'est une erreur de croire que l'on améliore sa vie professionnelle sans améliorer ses points faibles.

Une manière d'être
qui influence fortement son milieu

Que voulez-vous faire de votre vie? Les choix sont multiples.

Il y a des gens qui font de l'ordinaire des choses extraordinaires.

Comment s'y prennent-ils?

Dans leur milieu, partout, on les sollicite non pour ce qu'ils valent, mais pour ce qu'ils sont.

Ils réussissent sur tous les plans, avec une recette toute simple. Ils font ce que leur dicte leur cœur, n'entretiennent aucun sentiment négatif: haine, envie, jalousie, mesquinerie, etc. Ils cultivent à longueur de jour des pensées positives. Ils renforcent constamment leurs **points forts** par des gestes désintéressés et amicaux. Ils ont en haut lieu, même auprès du président de la compagnie où ils travaillent, une cote favorable.

Par exemple, le président dira souvent, en parlant de Gilbert: « Il nous faudrait plus de collaborateurs de ce calibre dans nos rangs. »

Comment se fait-il que certains individus aient à ce point un charisme, une emprise sur leur milieu?

C'est très simple.

— Ils savent mettre en valeur leurs **points forts** qu'ils ont développés par une bonne connaissance d'eux-mêmes.

— Ils connaissent l'importance des relations humaines, cultivent l'amitié, le ciment de la vie.

— Ils sont généreux en tout, de leur temps, de
leur argent, de leurs conseils, et vivent en
fonction du partage.

— Ils cherchent constamment à hausser leur niveau de satisfaction provoquant ainsi toutes
sortes d'initiatives qui donnent des résultats
performants ;

— Ils comprennent mieux que d'autres la nature
de leur **mission**, car plus leurs collègues se
sentent heureux et considérés, plus ils déve-
loppent leur savoir-faire.

— Ils restent accessibles et disponibles même
s'ils sont surchargés.

Tous ces facteurs réunis aident à comprendre
leur succès. Ils sèment généreusement et la ré-
colte est abondante. Ils savent s'oublier, partager
les réussites, petites et grandes, et contribuent
ainsi à consolider leur influence dans leur milieu
de travail.

Et devant un problème, il y a toujours quel-
qu'un pour dire : «Nous allons en parler à Gilbert !»

Gilbert n'est pas seulement un conseiller
éclairé, mais son comportement fait en sorte que,
pour plusieurs, il est un gourou. Non pas l'homme
qui sait tout... mais l'homme qui comprend tout.

La force de frappe de l'entreprise

Derrière tout grand succès, il y a des complices, des collaborateurs fidèles et des amis dévoués.

Pusillanime est celui qui prétend n'avoir besoin de personne.

D'instinct grégaire, l'homme aime se regrouper, s'allier à ses semblables, construire des cités et donner un visage matériel à ses rêves profonds.

Dans presque toute grande réussite, il y a un ou plusieurs complices, une femme ou un homme compréhensif, et des alliés à tous les niveaux de l'opération.

Très rares sont les succès des personnes solitaires. La réussite a la fragilité de la porcelaine et si le meneur n'a pas su retenir les acteurs secondaires dans son giron, il s'expose tôt ou tard à subir de graves revers.

D'ailleurs, tous les chefs d'entreprise ne cachent pas qu'ils sont heureux d'avoir pu embaucher leurs enfants. Leur long pèlerinage vers le succès les oblige à trouver des « forces nouvelles », riches de perspectives plus audacieuses.

Les complices forment le « noyau dur » de la réussite. Un grand nombre de disciples de la première heure ont mis le meilleur d'eux-mêmes au service d'une cause. Parfois, ils l'ont même précédée.

Si vous avez un objectif ambitieux, vous devez compter d'abord et avant tout sur vos alliés et votre entourage immédiat.

Plus les complices seront engagés dans la mission, plus vos chances de dépassement grandiront.

Avant de structurer un réseau d'alliés sûrs, de complices inconditionnels, il faut des années de prospection et de choix judicieux.

La réussite dépend de multiples facteurs — dont la confiance inaltérable et motivante — qui font dire à vos collaborateurs que vous êtes le meilleur.

Prévoyance oblige

Si vous désirez entreprendre une longue croisière sur un voilier, avec qui la ferez-vous? Cette question, vous devez vous la poser bien avant le départ.

Un long voyage avec un compagnon bourru et intolérant devient vite un cauchemar.

Bien souvent, par notre propre faute, nous nous plaçons dans des situations difficiles. Ce ne sont pas les problèmes qui nous courent après, mais nous qui courons après les problèmes.

Par exemple, au moment de lancer votre affaire, vous avez un partenaire qui apporte du capital. Est-ce suffisant?

— Quels sont ses points forts réels?

— Avez-vous des chances d'harmoniser vos points de vue avec les siens?

— Sera-t-il un partenaire formaliste au point qu'il vous rendra la vie intenable?

— Partagera-t-il votre conviction et votre foi dans la poursuite de vos objectifs?

— Possédera-t-il les qualités requises pour que règne l'harmonie entre vous deux?

Il a du capital, mais détient-il les véritables valeurs: la ténacité, l'imagination, la souplesse, la ferveur, le goût du labeur acharné, l'audace?

Il arrive que les partenaires se complètent admirablement, mais ce n'est pas toujours le cas.

Avant d'entreprendre une longue croisière avec un associé, vérifiez ses points faibles et ses points forts.

Donnez-vous du temps pour obtenir une appréciation juste.

Tel qui sourit aujourd'hui pleurera demain s'il n'a pas su être prévoyant.

Un miroir qui vous réfléchit

Tant et aussi longtemps qu'un certain nombre d'individus ne partagent pas votre vision et ne collaborent pas à l'atteinte de vos objectifs, un projet reste à l'état embryonnaire.

Cette étape — entre le rêve et la réalité — est définie comme le «processus de la conscience».

— Vous avez une idée ; il est impératif qu'elle soit partagée.

— Vous avez une cible ; il faut que vous soyez muni des outils nécessaires pour l'atteindre.

— S'il y a un enjeu, une performance, une épreuve à disputer, il y aura nécessairement un gagnant.

— Vous prenez l'avion, c'est pour vous rendre à un endroit précis.

— Vous créez des attentes, vous ne devez pas décevoir.

Le processus de la conscience n'est ni plus ni moins que le baromètre de votre agir : départ, sprint, arrivée.

Les attentes que vous semez à différents niveaux, vous obligent à être compétitif, car on a misé sur vous en toute conscience et en toute confiance.

Sur un champ de bataille, le chef de bataillon paie de sa personne. Il est un miroir dans lequel ses soldats se réfléchissent. Brave, courageux, tenace, ses soldats voudront lui ressembler.

Plus les attentes que vous suscitez sont grandes, plus importantes seront les obligations. Vous êtes l'aimant, le point de mire de vos collaborateurs. Vous exercez sur eux une influence prépondérante. Ils sont mobilisés dans un processus conscient qu'ils font leur, vous emboîtant le pas vers la réalisation d'un but.

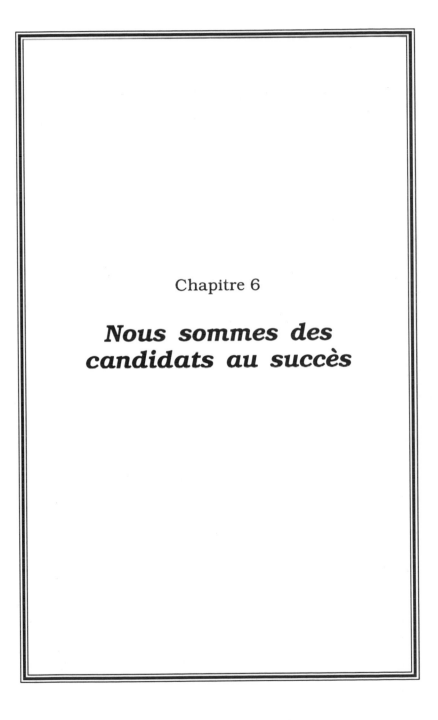

Chapitre 6

Nous sommes des candidats au succès

Un échec doit devenir un actif

Dans une vie, les échecs ne doivent pas être perçus négativement. Avant de se hisser au sommet, de nombreux financiers et industriels ont connu des difficultés. Plusieurs firent même des faillites retentissantes.

Les échecs ont toujours une cause qu'il faut mettre sur le compte de l'expérience. Avant de commencer à courir, un enfant multiplie les chutes. L'oiselet qui s'élance de son nid est maladroit, hésitant, et revient vite au gîte.

Il ne faut surtout pas qu'un échec devienne une obsession.

Vous mijotez votre dernier échec? Classez-le dans le tiroir des connaissances acquises au prix fort. Tôt ou tard, cette déconvenue servira vos fins.

Dans le cas contraire, si vous êtes du genre à vous culpabiliser, vous traînerez un boulet qui nuira à votre évolution.

Les raisons de l'échec

Elles sont multiples. Examinons les principales.

— Vous avez essayé de réussir dans un domaine où vous êtes franchement mauvais.

— Au départ, vous n'étiez pas certain d'exploiter le bon domaine.

— Votre produit ne correspondait pas aux attentes.

— Vous n'aviez pas le bon partenaire.

— Vous avez manqué de réalisme.

— Vous avez négligé les conseils de gens expérimentés qui, intuitivement, savaient que vous suiviez une mauvaise piste.

— Votre orgueil a été plus fort que votre raison et votre sens pratique.

Un mauvais état d'esprit et le souvenir entretenu d'un échec peuvent saper tous vos autres points forts et nuire à votre vie familiale et à votre vie sociale.

Reprenez-vous en main !

Songez à tous ces conquérants qui ont subi maints échecs avant de connaître de grandes victoires.

Pensez seulement à la fameuse riposte du général Douglas McArthur, après la gifle subie par les États-Unis à Pearl Harbour, lors de la

Deuxième Guerre mondiale, aux mains des Japonais.

«Je reviendrai!» leur lança McArthur, commandant en chef des forces terrestres américaines.

Un échec n'est jamais vraiment une défaite si on la met sur le compte de l'expérience. Il faut par ailleurs connaître différents échecs pour consolider ses positions d'avenir.

L'expérience s'acquiert sur le terrain, avec les hauts et les bas, les désillusions.

Soyez positif par rapport aux circonstances qui entourent une déconfiture. Faites-en un actif dans votre portefeuille de valeurs.

La réussite — et cela vaut pour tous les domaines — se laisse difficilement apprivoiser. Elle est rebelle à la facilité.

Un signe tangible d'appréciation

Après de nombreuses années de loyaux services ou de services particuliers qui vous démarquent au sein d'une entreprise, vous êtes en droit — dans la meilleure tradition — de recevoir une récompense.

Ainsi, pour leurs actions d'éclat, les militaires reçoivent de hautes décorations.

Pour les autres, la récompense est offerte sous diverses formes :

— une promotion et une augmentation de salaire ;

— un voyage toutes dépenses payées dans un pays étranger ;

— un trophée ou une sculpture d'un artiste de renom.

Manifestation **d'appréciation** beaucoup plus qu'une reconnaissance, ces récompenses ont une valeur de « stimulant » et arrivent à point pour souligner votre savoir-faire. On reconnaît votre **compétence**.

La reconnaissance peut prêter à confusion, car ce mot a plusieurs définitions. Il convient donc ici de parler de récompense.

Il serait ingrat que l'entreprise pour laquelle vous donnez le meilleur de vous-même et que vous servez par toutes sortes d'initiatives louables, ne vous témoigne pas sa satisfaction en vous octroyant une récompense, un témoignage d'estime qui rehausse l'opinion que vous avez de vous-même.

Vous pourriez difficilement vous épanouir et aimer votre travail s'il n'y avait pas — outre la rémunération — une gratification indispensable à vos attentes.

Pour leur soumission aux règles familiales, les enfants s'attendent à recevoir une récompense. Les adultes aussi.

Le philosophe Sénèque disait que même les bêtes se montrent réceptives et reconnaissantes pour le bien qu'on leur fait.

Si la récompense tardait trop à se manifester, vous seriez en droit de vous interroger :

— Ai-je été à la hauteur de ma mission ?

— Suis-je oublié sciemment par ceux qui, normalement, devraient reconnaître mon savoir-faire ?

La récompense est un témoignage d'estime, d'appréciation, de satisfaction de la part de vos supérieurs, une sorte de consécration de la compétence professionnelle et des initiatives heureuses qui vous démarquent des autres.

Une chose rare pour de rares élus

De nombreux hommes d'affaires à la tête d'une entreprise florissante avouent avec amertume qu'ils ont peu ou pas de prestige, cette auréole qui couronne de très rares individus.

Le prestige s'attache davantage à la qualité et à l'oeuvre qu'à la fortune. Pourtant peu riche, Pasteur avait du prestige ; de même de Gaulle, le cardinal de Richelieu, Einstein, Lavoisier, le frère Marie-Victorin. Ce qui tient du prestige a un caractère magique.

Bon nombre de grands chanteurs modernes, de grands peintres, de grands écrivains connaissent la célébrité, pas le prestige.

Les principaux facteurs couronnant le prestige sont :

— le caractère, la qualité et la portée de l'œuvre ;

— son influence et sa durée dans le temps et l'espace.

Concourir au prestige, c'est carrément se détacher du peloton, grimper un escalier foulé par un petit nombre d'élus.

« Cela me chagrine de n'avoir pas de prestige, nous confiait un industriel spécialisé dans la fabrication de portes d'aluminium. Je réussis magnifiquement, mais hors de mon circuit, je suis un illustre inconnu. »

Se montrer digne des grands personnages qui ont façonné les événements durant leur vie, exige au départ une personnalité appropriée. Vous aurez du mérite à vendre un million de cravates à l'intersection des rues Saint-Laurent et Duluth, mais vous ne serez jamais Bonaparte, ni Beethoven, ni Buffon, ni Montaigne.

Nos **points forts** doivent toujours s'exercer dans la mesure, non pas dans la démesure. Rappelez-vous la grenouille de la fable de Lafontaine.

Vous pouvez faire autorité dans votre domaine, remporter de beaux succès, jouir d'une certaine notoriété, être cité à droite et à gauche, connaître la popularité, mais le prestige est dans l'attitude, la grandeur, la hauteur des vues et des actions. « La popularité, c'est la gloire en gros sous », dit Hugo, dans *Ruy Blas*.

Utilisez vos points forts pour obtenir une place réaliste.

Ne soyez pas comme le baudet de la fable qui, chargé de reliques, croyait qu'on l'admirait.

La consécration de ses points forts

Le directeur du service des ventes d'une entreprise solidement établie avait réalisé — lors d'une longue négociation — un véritable coup d'éclat, en multipliant par cinq les objectifs d'une transaction difficile.

Le contrat signé, le directeur, assez satisfait de lui-même, ne fit pas vraiment étalage de son coup de maître.

Le président de la société le fit convoquer à son bureau pour lui dire :

— Mon cher, je vous félicite, mais en même temps, je vous désapprouve.

— Ai-je fait quelque chose de répréhensible ? demanda le directeur, navré qu'on lui manifeste si peu de reconnaissance.

— Rien de tout cela, mon ami. Mais un coup d'éclat, ça se célèbre ! Donnez le signal des réjouissances, personne ne le fera pour vous-même. Vous avez le devoir et le privilège de vous mettre en évidence pour augmenter votre niveau de satisfaction. Si vous avez réussi cette négociation, la reconnaissance officielle de vos collègues et de notre institution vous

103

incitera à aller toujours plus loin. On récompense les grands athlètes pour leurs prouesses, pourquoi pas vous ? Célébrez, mon cher ! Célébrez ! »

Le directeur retint la leçon.

Vos pairs saluent un champion

Si la modestie vous empêche de plastronner dans la bonne mesure, surtout après un coup d'éclat dont vous êtes l'artisan principal, vous ne vous rendez pas justice.

La célébration constitue le but ultime ; il n'y a pas de possibilité de retourner en arrière.

Votre excellence est confirmée. Lors d'un événement spécial, vos pairs saluent un vrai champion.

Véritable stimulant, la célébration vous fait accéder — comme autrefois, à l'époque de la chevalerie — à la table ronde des élus. Vos lettres de noblesse sont acceptées à des niveaux supérieurs et, à tout propos, rappelant votre action d'éclat, on dira de vous : « Untel est imbattable dans ce type de négociation ! »

Désormais, vous serez sollicité dans toutes sortes d'affaires pour exercer vos talents et donner votre pleine mesure.

Stratégie positive

Dans de nombreuses entreprises, on affiche la liste des dix meilleurs vendeurs du mois pour une période déterminée.

À Kingsey Falls, dans les industries appartenant au groupe de Bernard Lemaire, le visiteur est surpris de voir un gros cadran afficher le cours des actions en Bourse.

Chaque organisation adopte une stratégie particulière pour célébrer des victoires ; selon le cas, la célébration prendra diverses formes, une réception au restaurant regroupant des têtes d'affiche, un cadeau prestigieux, un voyage à l'étranger et autres marques distinctives qui soulignent la performance d'un champion :

— l'attribution d'un bureau plus spacieux ;

— une secrétaire additionnelle ;

— une augmentation de salaire ;

— une participation aux prises de décision ;

— une réception qui regroupe des clients, des collègues et des amis ;

— des responsabilités additionnelles ;

— des missions de plus en plus difficiles ;

— des témoignages d'estime de votre patron ;

— des occasions nombreuses que vous n'aviez pas auparavant ;

— une attention particulière à vos idées, à vos projets, à vos critiques.

Bref, la célébration a ceci de bon qu'elle vous mène sur la route du succès et vous ouvre des voies nouvelles, susceptibles de favoriser votre évolution professionnelle.

Si vous le pensez, ne le dites pas !

Invités à célébrer, certains individus diront : «Ce n'est pas mon genre!» Ou encore : «Je n'ai pas besoin de récompense.» Ou pire : «Je ne saurais accepter ça!»

Si vous vous reconnaissez dans ces affirmations, vous faites fausse route, vous négligez des **points forts** importants et vous adoptez une attitude enfantine.

Qui, de nos jours, n'a pas besoin d'être récompensé une fois de temps à autre et reconnu officiellement pour son talent et son excellence?

À moins d'être masochiste, toute personne sensible, réceptive, positive, aime déceler les signes manifestes de l'estime que les autres — collègues, connaissances, gens que nous fréquentons sporadiquement — éprouvent pour nous.

Il est rassurant de se sentir apprécié. Nous ne vivons pas dans une tour d'ivoire, mais en société, avec nos semblables, dans la mer des sentiments humains.

La célébration confirme la reconnaissance et accentue nos **points forts**. Elle vous ouvre un champ nouveau de perspectives. Au cours de la célébration, Untel vous dira : «Je ne te connaissais pas ce **point fort**. J'apprécierais que tu m'assistes dans mon nouveau projet.»

Vous devenez le point de mire de plusieurs individus qui ne soupçonnaient même pas vos talents réels. Ils les découvrent à la faveur d'une consécration.

Vous apprécierez d'autant plus la célébration que vos intimes seront de la fête, conjoint, amis très chers, bref, tous ceux et celles qui, les premiers, ont cru en vos possibilités.

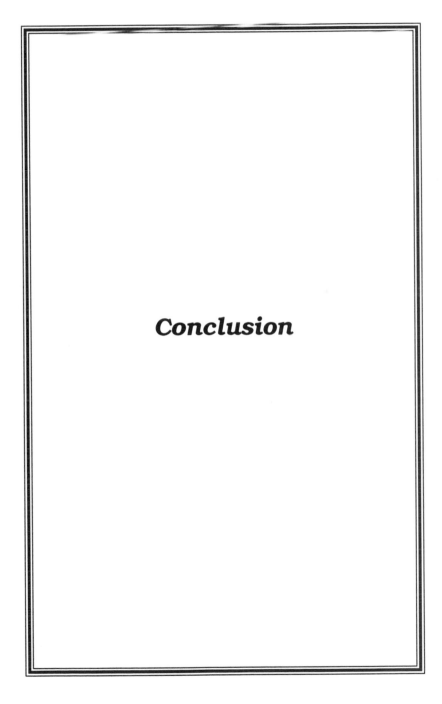

Conclusion

De quoi demain sera-t-il fait ?

Pour les jeunes gens qui chassent le succès avec enthousiasme et veulent — dans leur discipline — faire leur marque, le monde en devenir est un énorme point d'interrogation. Posséder des **points forts**, de l'initiative, des idées, avoir un objectif, disposer de tous les atouts pour réussir sont-ils des préalables suffisants pour se tailler une place au soleil ?

Le monde de demain ne livre ses secrets qu'au compte-gouttes. Que sera-t-il ? Comment composer avec les inconnus ? Comment précéder la mutation ?

À l'aube du XXIe siècle, bien des questions demeurent sans réponses.

La croissance du psychisme de l'être humain se fera-t-elle au détriment des valeurs anciennes ?

Il y a d'énormes défis à l'horizon. Si le structuralisme a dominé le XXe siècle, la mémoire dans un bocal dominera le prochain siècle.

Le retour du roi philosophe

Qui assumera le pouvoir? Ce ne seront ni les gens du culte, ni les militaires, ni les gens d'affaires.

Le pouvoir sera exercé par l'ordinateur et ses opérateurs, et l'imaginaire deviendra plus important que le savoir.

Cette fin de siècle se terminera par un lamentable échec des partisans du structuralisme qui ont cherché des solutions à partir de la base.

Les futuristes ou prospectivistes prévoient le retour d'Aristote et de Platon, et la déchéance de Marx et de Sartre.

John Naisbitt, économiste de renom, après une étude exhaustive des grands courants qui bouleversent nos sociétés modernes, en vient à cette conclusion: «L'ère industrielle touche à sa fin; l'économie nouvelle sera fondée sur l'information, sur la création, la transmission et l'échange de l'information.»

Un avenir automatisé

Quel genre d'avenir se prépare pour les générations montantes?

En supposant que vous gardiez un optimisme à tout crin — ce qui est souhaitable — alors que notre civilisation accuse une nette tendance à l'autodestruction, à commencer par le saccage de la nature et des ressources naturelles renouvelables et non renouvelables, on peut envisager avec certitude que l'expansion technologique suivra son cours.

L'homme travaillera de moins en moins manuellement. Il suffira de quelques robots et d'une dizaine de contremaîtres pour faire tourner une usine de moyenne importance.

Ni de chair ni d'os, mais hautement sophistiqués et performants, les nouveaux esclaves seront partout, accomplissant dans les manufactures les besognes les plus dures sans se plaindre, sans protester contre l'insalubrité des lieux, sans réclamer par leur syndicat des améliorations tangibles, sans demander des augmentations de salaire, etc.

Pour la première fois dans toute l'histoire de l'humanité, l'homme ne sera plus contraint aux durs travaux, à investir physiquement dans les tâches manuelles. Les robots feront ça pour lui.

Oisiveté et chômage

L'automatisation à outrance engendrera du chômage endémique, et ce, dans toutes les sphères de l'activité humaine. Les robots prendront un peu partout la relève des humains et assureront leurs besoins matériels. Alors, direz-vous, que nous restera-t-il à faire? Bonne question.

Le danger n'est pas de multiplier les robots dans les usines, mais de savoir ce qu'on fera de cette masse d'hommes et de femmes réduits à l'oisiveté.

S'agira-t-il pour les travailleurs en puissance d'un instant privilégié où chacun pourra développer au maximum ses facultés intellectuelles ou d'un passeport pour un pays nommé « ennui mortel » ?

Votre réflexion sur les nouveaux horizons devrait inclure l'émergence virtuelle de deux mondes :

— un monde global pour des nomades ;

— un monde régional pour les sédentaires.

Quelle sera la configuration des sociétés (de la vôtre en particulier) dans lesquelles vous serez appelé à vivre et à réaliser vos ambitions ?

Les visages de l'éphémère

Simultanéité. Instantanéité. Rappprochement. Village global. Acessibilité à la communication. Mondialisation des économies. La notion de permanence, indispensable dans les arts et dans toutes les disciplines, fera-t-elle défaut aux sociétés en devenir ?

Si elle existe, quel sera le type de permanence ?

Verrons-nous la fin de l'empirisme si cher aux classes dirigeantes d'antan ?

Comment les nouvelles sciences feront-elles la transmutation des instincts primitifs ?

114

Dans quelle mesure l'esprit humain pourra-t-il s'adapter à de nouvelles conditions de vie incompatibles avec son conservatisme?

Au lieu d'être des bêtes de somme, serons-nous demain uniquement des dilettantes imaginatifs et créatifs qui profiteront de leurs loisirs pour jouer aux échecs avec un robot?

Nous sommes déjà en pleine mutation et personne ne semble vraiment se rendre compte que l'ordinateur est en train de penser pour nous, de nous relayer dans toutes les tâches abrutissantes, de pallier nos lacunes et peut-être, dans une perspective appréciable, grâce à l'intelligence artificielle, de nous fournir l'occasion unique de nous perfectionner individuellement.

Mais tout cela reste à prouver.

L'ordinateur peut être un ami ou un adversaire. Un ami parce qu'il allège nos tâches, un adversaire parce qu'il entretiendra chez l'humain des habitudes de passivité et de paresse.

Les défis humains, artistiques, scientifiques ou économiques sont autrement plus complexes que les défis surmontés par les générations précédentes, exploitant des esclaves faits de chair et d'os.

L'invention de l'écriture avait non seulement stimulé l'intelligence humaine mais élaboré de nouvelles méthodes de penser et d'agir.

En bousculant les hiérarchies, en rendant accessibles des masses de renseignements, en décodant tous les langages ésotériques, en sortant le savoir des tours d'ivoire de l'hermétisme, l'ordinateur, dans sa manière et son langage, introduit dans nos sociétés un nouveau pouvoir dont les conséquences à court et à long terme restent imprévisibles.

Les générations montantes auront à composer ou à unifier leurs forces vives aux forces artificielles qui domineront le monde des ensembles, chaque élément étant tributaire de l'autre.

Pour le meilleur ou pour le pire, votre vie sera un grand livre ouvert.

Le marché géant de l'information sera l'apanage des élites de la nouvelle Renaissance.

Dans la même
collection

OSEZ CHANGER D'EMPLOI... ET DE VIE

Carole Kanchier

Votre emploi vous ennuie, vous déçoit? Vous aimeriez vous lancer en affaires ou réintégrer le marché du travail? Devriez-vous retourner aux études ou vous interrogez-vous sur l'orientation que devrait prendre votre vie?
Ce guide, fort complet, écrit par une psychologue, aidera le lecteur à mieux gagner sa vie dès demain. Il offre une vue nouvelle et révélatrice sur les possibilités de carrières contemporaines. Cernez de nouveaux défis, obtenez des résultats positifs en osant changer non seulement d'emploi mais de vie.

En vente au Canada seulement.

FORMAT: 15 x 23 cm
PRIX: 29,95 $
PAGES: 344
ISBN: 2-89089-766-4

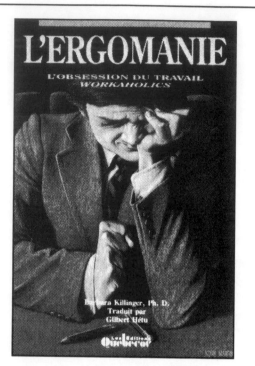

L'ERGOMANIE L'OBSESSION DU TRAVAIL

WORKAHOLICS

Barbara Killinger, Ph. D.

L'obsession du travail est un mal très répandu dans notre société. Probablement parce que le travail acharné est considéré comme une caractéristique de la réussite. Pourtant, elle peut compromettre la santé, ruiner la vie familiale et provoquer des dépressions. L'auteure, une psychologue clinicienne, donne une perspective nouvelle au travail et à l'importance qu'on lui accorde dans nos vies. C'est un véritable guide de survie pour les ergomanes et leurs proches.

En vente au Canada seulement.

FORMAT: 15 x 23 cm
PRIX: 29,95 $
PAGES: 328
ISBN: 2-89089-817-2

COMMENT ÊTRE BIEN DANS SA PEAU
THÉRAPIE DOUCE ET NATURELLE

Lee Schnebly

Vous trouverez dans cet ouvrage un questionnaire sur votre mode de vie ainsi que des exercices qui vous aideront à acquérir une meilleure compréhension de vous-même et de votre entourage. Écrit par une docteure en psychologie, ce livre vous invite à changer votre manière de penser, à modifier vos convictions, sentiments et comportements, donc votre approche de la vie. Laissez toutes vos insatisfactions derrière vous, développez une attitude positive et vivez enfin à plein.

FORMAT: 15 x 23 cm
PRIX: 17,95 $
PAGES: 216
ISBN: 2-89089-808-3

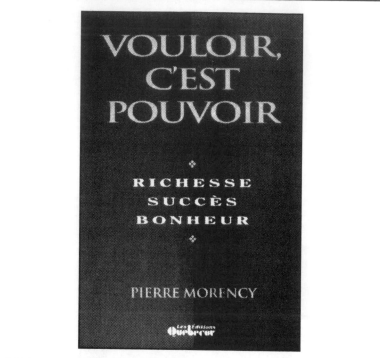

VOULOIR, C'EST POUVOIR

Pierre Morency

Ce livre sur le développement personnel offre une démarche concrète autant sur le plan physique, mental et spirituel, qui vous permet de développer une vision plus globale de votre vie. L'auteur, conseiller chez l'une des plus importantes firmes de consultation en gestion au monde, met l'accent sur la structure de la vie économique, l'élaboration d'objectifs spécifiques, et fournit un cadre philosophique dans lequel peut évoluer une vie organisée mais combien passionnante.

FORMAT: 15 x 23 cm
PRIX: 19,95 $
PAGES: 304
ISBN: 2-89089-600-5

À LA DÉCOUVERTE DE LA PERSONNALITÉ

LA CARACTÉROLOGIE

Rodney Davies

Il est essentiel de bien se connaître et il existe de multiples façons de sonder les personnalités, aussi bien la nôtre que celle de nos proches. L'auteur donne accès à une mine de renseignements qui permettront de lire dans les gestes comme dans un livre ouvert. Surprise! Il est possible de lire l'âme humaine en observant les couleurs des chapeaux, les formes des bagues, les coupes de cheveux ou même de moustaches, les parfums, le langage corporel... Autant d'indices précieux et révélateurs qui vous aideront à mieux comprendre le monde dans lequel vous évoluez.

FORMAT DE POCHE:	10 1/2 x 18 cm	FORMAT RÉGULIER:	15 x 23 cm
PRIX:	13,95 $	PRIX:	19,95 $
PAGES:	288	PAGES:	224
ISBN:	2-89089-805-9	ISBN:	2-89089-598-X

SAVOIR TRAITER AVEC LES GENS IMPOSSIBLES

Roberta Cava

Nous devons tous, à un moment ou à un autre, traiter avec des personnes furieuses, impolies, impatientes ou agressives en milieu de travail. Il est donc important de savoir comment affronter diverses situations stressantes et apprendre à libérer la tension calmement. Ce livre expose des techniques pratiques qui faciliteront le travail de ceux et celles qui se retrouvent dans des situations difficiles. Un outil indispensable pour les gens d'affaires.
En vente au Canada seulement.

FORMAT: 15 x 23 cm
PRIX: 22,95 $
PAGES: 264
ISBN: 2-89089-767-2

COMMENT SE FAIRE DES AMIS
ET INFLUENCER LES AUTRES

Dale Carnegie

Ce best-seller mondial a été traduit en 37 langues et vendu à plus de 40 millions d'exemplaires. Vous y trouverez des conseils efficaces pour créer l'harmonie autour de vous, influencer vos semblables et développer votre talent de leader. Si vous avez un désir profond et irrésistible de vous perfectionner et la volonté d'apprendre à mieux vous entendre avec votre entourage, ce livre est pour vous.

En vente au Canada seulement.

FORMAT:	15 x 23 cm
PRIX:	15,95 $
PAGES:	208
ISBN:	2-89089-575-0

COMMENT PARLER EN PUBLIC

Dale Carnegie

Ce livre a aidé plus de quatre millions de personnes. S'entraîner selon la méthode Dale Carnegie peut donc faire toute une différence dans votre vie. Si vous avez de la difficulté à faire passer vos idées, désirez améliorer vos présentations, valoriser vos compétences, alors cet ouvrage vous aidera non seulement à améliorer votre chiffre d'affaires mais également la qualité de vos relations humaines.

En vente au Canada seulement.

FORMAT: 15 x 23 cm
PRIX: 15,95 $
PAGES: 208
ISBN: 2-89809-622-6

LA PERTE D'EMPLOI, UNE AFFAIRE DE FAMILLE

Suzanne Chapdelaine et Gilles Jobin

La personne qui a perdu son emploi vit une situation difficile. Cette dernière joue avec ses émotions mais aussi avec celle qui partage sa vie. C'est la raison d'être de ce livre qui s'adresse aux conjoints des chômeurs qui, eux aussi, voient leurs rêves s'estomper, leurs espoirs s'envoler. Ils trouveront dans ce guide pratique toutes les réponses sur les étapes à traverser dans pareille situation : faire face au choc initial, évaluer la situation, gérer la crise, réorganiser le budget et les loisirs, éviter le débalancement psychologique, etc. Un livre qui permet de découvrir des ressources jusque-là insoupçonnées afin que les difficultés se transforment en outils de croissance.

FORMAT: 15 x 23 cm
PRIX: 24,95 $
PAGES: 248
ISBN: 2-89089-900-4

GUÉRIR DU BURNOUT

Neil Solomon, M.D., Ph. D., et Marc Lipton, Ph. D., M.P.A.

Cet ouvrage démontre comment l'interaction corps-esprit peut engendrer la maladie en nous. On y trouve des suggestions pour mieux vivre le quotidien et ainsi éviter un burnout ou le soigner.

Que vous souffriez de maux de dos, de tête, de névralgies, de dépression, d'asthme même – et que votre médecin y perde son latin –, il est possible que le syndrome d'hypersensibilité, établi par les deux auteurs de ce livre, soit en cause.

En vente au Canada seulement.

FORMAT:	15 x 23 cm
PRIX:	19,95 $
PAGES:	310
ISBN:	2-89089-898-9

DITES OUI À LA RICHESSE

Michèle Lemieux

Cet ouvrage présente différents principes et philosophies de prospérité afin de vous aider à découvrir ou à renouer avec l'aisance financière, la fortune et l'abondance. Après tout, ces cadeaux de la vie sont disponibles pour tous, ici et maintenant. Découvrez des moyens efficaces, des «trucs» éprouvés qui vous permettront d'accroître votre avoir en mettant en pratique exercices, méditations et façons de penser qui ont fait le bonheur de milliers et de milliers de personnes.

FORMAT: 9 x 13 cm
PRIX: 4,95 $
PAGES: 96
ISBN: 2-89089-630-7

JE M'AFFIRME

Michèle Lemieux

Nous avons le pouvoir de créer notre vie. Ce guide contient 225 affirmations qui vous aideront à retrouver le sentiment que vous êtes le maître de votre vie et avez tous les pouvoirs de la modifier au gré de vos intentions.

FORMAT: 9 x 13 cm
PRIX: 4,95 $
PAGES: 96
ISBN: 2-89089-603-X

CHANGEZ VOTRE VIE EN 21 JOURS

Michèle Lemieux

Il est scientifiquement prouvé que le subconscient nécessite 21 jours pour acquérir une nouvelle programmation. N'est-ce pas merveilleux de savoir qu'en trois semaines, il est possible de changer sa vie? Grâce à ce livre, découvrez vos connaissances en la matière et familiarisez-vous avec des théories éprouvées.

FORMAT: 9 x 13 cm
PRIX: 4,95 $
PAGES: 96
ISBN: 2-89089-619-6

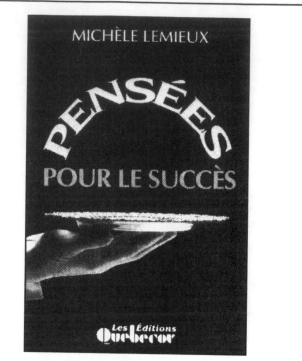

PENSÉES POUR LE SUCCÈS

Michèle Lemieux

De tout temps, les êtres humains se sont mutuellement inspirés de façon positive par leurs actions, leurs gestes, leurs récits et leurs paroles. Ces exemples ont servi et servent encore à éveiller la volonté et la motivation en chacun de nous. C'est dans ce but que l'auteure a réuni des réflexions de personnes qui ont connu le succès.

FORMAT: 9 x 13 cm
PRIX: 4,95 $
PAGES: 96
ISBN: 2-89089-588-2

LES SECRETS DES BONS VENDEURS

Denis Boulay

Ce petit guide est l'outil idéal de base pour tous ceux et celles qui désirent faire carrière dans la vente. Il expose clairement les qualités requises pour faire un bon professionnel de la vente, la façon de préparer une vente ainsi que les raisons d'un échec ou d'une perte de clientèle.

FORMAT:	9 x 13 cm
PRIX:	4,95 $
PAGES:	136
ISBN:	2-89089-560-2